4 학년이 ✓ 알아야 한 수와 연산

맞출짝!

4학년이 꼭 알아야 할

수와 연산

이 책의 구성과 특징

1 1학년부터 6학년까지 각 학년별로 나오는 수와 연산 부분을 강화하여 학교 수업에 자신감을 쌓을 수 있도록 하였습니다.

2 수학의 기초인 수와 연산을 이해하여 빠르고 정확한 계산 능력을 얻을 수 있도록 하였습니다.

3 선행 학습을 원하는 학생 누구나 쉽게 공부할 수 있도록 하였습니다.

4 학기 중 또는 방학 중 단기간에 계산력을 완성할 수 있도록 하였습니다.

핵심정리

핵심 1 만 알아보기

• 1000이 10개인 수 → 쓰기 : 10000, 1만   읽기 : 만, 일만
• 10000이 5개, 1000이 2개, 100이 8개, 10이 9개, 1이 3개인 수
  → 쓰기 : 52893   읽기 : 오만 이천팔백구십삼
• 자릿값 알아보기

2	8	3	4	5	1	9	6
천	백	십	일				
			만	천	백	십	일

● 삼만 칠십을 3000070
으로 쓰지 않도록 합니
다.

단원에서 꼭 알아야할 기본적인 개념
과 원리를 요약 정리하였습니다.

핵심 다지기

시간	1~3분	3~4분	4~5분	점수A	8~10점	5~7점	1~4점
점수A	5	3	1	점수B			
맞은 개수	11~12개	8~10개	1~7개				
점수B	5	3	1				

핵심 1-1 다섯 자리 수 알아보기

10000이 3개, 1000이 5개, 100이 1개, 10이 7개, 1이 8개이면 35178입니다.
35178을 삼만 오천백칠십팔이라고 읽습니다.

	만의 자리	천의 자리	백의 자리	십의 자리	일의 자리
숫자	3	5	1	7	8
나타내는 값	30000	5000	100	70	8

1 10000이 2개, 1000이 4개, 100이 3개, 10이 7개, 1이 6개이면
  ☐ 입니다.

2 10000이 8개, 1000이 4개, 100이 1개, 10이 5개, 1이 7개이면
  ☐ 입니다.

핵심 내용을 주제별로 세분화하여 정
리한 후 유형 문제를 반복 연습하는
문제들로 구성하였습니다.

● 점수 체크표
문제 푸는 시간과 맞은 개수를 점수화
하여 학습의 효과를 높이도록 하였습
니다.

단원 마무리평가

시간	1~8분	8~9분	9~10분	10~11분	11~12분	점수A	9~10점	7~8점	1~6점
점수A	5	4	3	2	1	점수B			
맞은 개수	18~20개	15~17개	12~14개	9~11개	1~8개				
점수B	5	4	3	2	1				

● ☐ 안에 알맞은 수를 써넣으시오.
(1~8)

1 10000이 5개, 1000이 8개,
100이 1개, 10이 2개, 1이 7
개이면 ☐ 입니다.

2 10000이 7개
   1000이 1개
   100이 3개   이면 ☐
   10이 0개

6 40321에서 ☐는 만의 자리
  의 숫자이고, ☐을 나타냅
  니다.

7 96100000에서 ☐는 천만의
  자리의 숫자이고, ☐을
  나타냅니다.

단원을 마무리하면서 익힌 내용을 평
가하여 자신의 실력을 알아볼 수 있도
록 구성하였습니다.

Contents
차례

4학년

큰 수

핵심 1 만 알아보기

- 1000이 10개인 수 ➡ 쓰기 : 10000, 1만   읽기 : 만, 일만
- 10000이 5개, 1000이 2개, 100이 8개, 10이 9개, 1이 3개인 수
  ➡ 쓰기 : 52893   읽기 : 오만 이천팔백구십삼
- 자릿값 알아보기

2	8	3	4	5	1	9	6
천	백	십	일				
			만	천	백	십	일

삼만 칠십을 3000070 으로 쓰지 않도록 합니 다.

핵심 2 억 알아보기

- 1000만이 10개인 수 ➡ 쓰기 : 100000000, 1억
  읽기 : 억, 일억
- 자릿값 알아보기

1	5	7	4	2	0	8	6	0	0	0	0
천	백	십	일	천	백	십	일				
			억				만	천	백	십	일

각 자리의 숫자가 0인 것은 읽지 않고, 자리의 숫자가 1인 경우는 자릿값만 읽습니다.
㉾ 5000210000
➡ 오십억 이십일만

핵심 3 조 알아보기

- 1000억이 10개인 수 ➡ 쓰기 : 1000000000000, 1조
  읽기 : 조, 일조
- 자릿값 알아보기

7	6	3	1	5	3	8	1	0	0	0	0	0	0	0	0
천	백	십	일	천	백	십	일	천	백	십	일				
			조				억				만	천	백	십	일

핵심 4 큰 수의 뛰어 세기와 크기 비교

- ★의 자리 숫자가 1씩 커지면 ★씩 뛰어 센 것입니다.
- 자릿수가 다를 때는 자릿수가 많은 쪽이 더 큰 수입니다.
- 자릿수가 같으면 가장 높은 자리의 숫자부터 차례로 비교합니다.

시간	1~3분	3~4분	4~5분	점수A + 점수B	8~10점	5~7점	1~4점
점수 A	5	3	1				
맞은 개수	11~12개	8~10개	1~7개		참 잘했어요	잘했어요	좀더 노력하세요
점수 B	5	3	1				

핵심 1-1 다섯 자리 수 알아보기

10000이 3개, 1000이 5개, 100이 1개, 10이 7개, 1이 8개이면 35178입니다.
35178을 삼만 오천백칠십팔이라고 읽습니다.

	만의 자리	천의 자리	백의 자리	십의 자리	일의 자리
숫자	3	5	1	7	8
나타내는 값	30000	5000	100	70	8

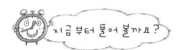

1 10000이 2개, 1000이 4개, 100이 3개, 10이 7개, 1이 6개이면 ☐ 입니다.

2 10000이 8개, 1000이 4개, 100이 1개, 10이 5개, 1이 7개이면 ☐ 입니다.

3 10000이 1개
1000이 3개
100이 5개   이면 ☐
10이 7개
1이 8개

4 10000이 4개
1000이 7개
100이 2개   이면 ☐
10이 8개
1이 9개

5 10000이 5개
1000이 2개
100이 1개   이면 ☐
10이 7개
1이 3개

6 10000이 6개
1000이 9개
100이 1개   이면 ☐
10이 2개
1이 8개

7

13584에서

만의 자리의 숫자는 □이고, □을 나타냅니다.

천의 자리의 숫자는 □이고, □을 나타냅니다.

백의 자리의 숫자는 □이고, □을 나타냅니다.

십의 자리의 숫자는 □이고, □을 나타냅니다.

일의 자리의 숫자는 □이고, □를 나타냅니다.

8

46057에서

만의 자리의 숫자는 □이고, □을 나타냅니다.

천의 자리의 숫자는 □이고, □을 나타냅니다.

백의 자리의 숫자는 □이고, □을 나타냅니다.

십의 자리의 숫자는 □이고, □을 나타냅니다.

일의 자리의 숫자는 □이고, □을 나타냅니다.

9

23185는

10000이 □개

1000이 □개

100이 □개

10이 □개

1이 □개

10

32657은

10000이 □개

1000이 □개

100이 □개

10이 □개

1이 □개

11

70523은

10000이 □개

1000이 □개

100이 □개

10이 □개

1이 □개

12

89204는

10000이 □개

1000이 □개

100이 □개

10이 □개

1이 □개

핵심 1-2 천만까지의 수 알아보기

- 만이 10개이면 100000 또는 10만이라 쓰고, 십만이라고 읽습니다.
- 만이 100개이면 1000000 또는 100만이라 쓰고, 백만이라고 읽습니다.
- 만이 1000개이면 10000000 또는 1000만이라 쓰고, 천만이라고 읽습니다.
- 97342815는 만이 9734개, 1이 2815개인 수입니다.
- 97342815에서
  9는 천만의 자리의 숫자이고, 90000000을 나타냅니다.
  7은 백만의 자리의 숫자이고, 7000000을 나타냅니다.
  3은 십만의 자리의 숫자이고, 300000을 나타냅니다.

지금부터 풀어 볼까요?

1 만이 20개이면 ☐ 또는 ☐ 이라 쓰고, ☐ 이라고 읽습니다.

2 만이 500개이면 ☐ 또는 ☐ 이라 쓰고, ☐ 이라고 읽습니다.

3 만이 8000개이면 ☐ 또는 ☐ 이라 쓰고, ☐ 이라고 읽습니다.

4 6785418은 만이 ☐ 개, 1이 ☐ 개인 수입니다.

5 70420601은 만이 ☐ 개, 1이 ☐ 개인 수입니다.

6 80500069는 만이 ☐ 개, 1이 ☐ 개인 수입니다.

7 28345106에서

2는 ☐ 의 자리의 숫자이고, ☐ 을 나타냅니다.

8은 ☐ 의 자리의 숫자이고, ☐ 을 나타냅니다.

3은 ☐ 의 자리의 숫자이고, ☐ 을 나타냅니다.

8 32947156에서

3은 ☐ 의 자리의 숫자이고, ☐ 을 나타냅니다.

2는 ☐ 의 자리의 숫자이고, ☐ 을 나타냅니다.

9는 ☐ 의 자리의 숫자이고, ☐ 을 나타냅니다.

9 42806527에서

☐ 는 천만의 자리의 숫자이고, ☐ 을 나타냅니다.

☐ 는 백만의 자리의 숫자이고, ☐ 을 나타냅니다.

☐ 은 십만의 자리의 숫자이고, ☐ 을 나타냅니다.

10 86327549에서

☐ 은 천만의 자리의 숫자이고, ☐ 을 나타냅니다.

☐ 은 백만의 자리의 숫자이고, ☐ 을 나타냅니다.

☐ 은 십만의 자리의 숫자이고, ☐ 을 나타냅니다.

핵심 2 억 알아보기

- 1000만이 10개이면 100000000 또는 1억이라 쓰고, 억 또는 일억이라고 읽습니다.
- 564720890000은 억이 5647개, 만이 2089개인 수입니다.
- 564720890000에서
  5는 천억의 자리의 숫자이고, 500000000000을 나타냅니다.
  6은 백억의 자리의 숫자이고, 60000000000을 나타냅니다.
  4는 십억의 자리의 숫자이고, 4000000000을 나타냅니다.

지금 부터 풀어 볼까요?

1 억이 10개이면 ☐ 또는 ☐ 이라 쓰고, ☐ 이라고 읽습니다.

2 억이 100개이면 ☐ 또는 ☐ 이라 쓰고, ☐ 이라고 읽습니다.

3 억이 1000개이면 ☐ 또는 ☐ 이라 쓰고, ☐ 이라고 읽습니다.

4 48476100000은 억이 ☐ 개, 만이 ☐ 개인 수입니다.

5 900800640000은 억이 ☐ 개, 만이 ☐ 개인 수입니다.

6 267910350000에서

2는 ▢ 의 자리의 숫자이고, ▢ 을 나타냅니다.

6은 ▢ 의 자리의 숫자이고, ▢ 을 나타냅니다.

7은 ▢ 의 자리의 숫자이고, ▢ 을 나타냅니다.

7 526017930000에서

5는 ▢ 의 자리의 숫자이고, ▢ 을 나타냅니다.

2는 ▢ 의 자리의 숫자이고, ▢ 을 나타냅니다.

6은 ▢ 의 자리의 숫자이고, ▢ 을 나타냅니다.

8 691308070000에서

▢ 은 천억의 자리의 숫자이고, ▢ 을 나타냅니다.

▢ 는 백억의 자리의 숫자이고, ▢ 을 나타냅니다.

▢ 은 십억의 자리의 숫자이고, ▢ 을 나타냅니다.

9 937206480000에서

▢ 는 천억의 자리의 숫자이고, ▢ 을 나타냅니다.

▢ 은 백억의 자리의 숫자이고, ▢ 을 나타냅니다.

▢ 은 십억의 자리의 숫자이고, ▢ 을 나타냅니다.

핵심 3 조 알아보기

- 1000억이 10개이면 1000000000000 또는 1조라 쓰고, 조 또는 일조라고 읽습니다.
- 2594347800000000은 조가 2594개, 억이 3478개인 수입니다.
- 2594347800000000에서
  2는 천조의 자리의 숫자이고, 2000000000000000를 나타냅니다.
  5는 백조의 자리의 숫자이고, 500000000000000를 나타냅니다.
  9는 십조의 자리의 숫자이고, 90000000000000를 나타냅니다.

지금부터 풀어 볼까요?

1 조가 10개이면 [   ] 또는 [   ]라 쓰고, [   ]라고 읽습니다.

2 조가 100개이면 [   ] 또는 [   ]라 쓰고, [   ]라고 읽습니다.

3 조가 1000개이면 [   ] 또는 [   ]라 쓰고, [   ]라고 읽습니다.

4 6390527100000000은 조가 [   ]개, 억이 [   ]개인 수입니다.

5 7011372200000000은 조가 [   ]개, 억이 [   ]개인 수입니다.

6 3681750000000000에서

3은 ☐ 의 자리의 숫자이고, ☐ 를 나타냅니다.

6은 ☐ 의 자리의 숫자이고, ☐ 를 나타냅니다.

8은 ☐ 의 자리의 숫자이고, ☐ 를 나타냅니다.

7 6320074000000000에서

6은 ☐ 의 자리의 숫자이고, ☐ 를 나타냅니다.

3은 ☐ 의 자리의 숫자이고, ☐ 를 나타냅니다.

2는 ☐ 의 자리의 숫자이고, ☐ 를 나타냅니다.

8 7150004800000000에서

☐ 은 천조의 자리의 숫자이고, ☐ 를 나타냅니다.

☐ 은 백조의 자리의 숫자이고, ☐ 를 나타냅니다.

☐ 는 십조의 자리의 숫자이고, ☐ 를 나타냅니다.

9 8290071300000000에서

☐ 은 천조의 자리의 숫자이고, ☐ 를 나타냅니다.

☐ 는 백조의 자리의 숫자이고, ☐ 를 나타냅니다.

☐ 는 십조의 자리의 숫자이고, ☐ 를 나타냅니다.

핵심 4-1 큰 수의 뛰어 세기

- 1만씩 뛰어 세면 만의 자리 숫자가 1씩 커집니다.

30000 — 40000 — 50000 — 60000 — 70000

- 1억씩 뛰어 세면 억의 자리 숫자가 1씩 커집니다.

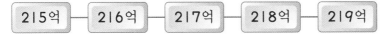

215억 — 216억 — 217억 — 218억 — 219억

- 1조씩 뛰어 세면 조의 자리 숫자가 1씩 커집니다.

341조 — 342조 — 343조 — 344조 — 345조

지금부터 풀어 볼까요?

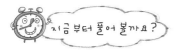

❀ 10000씩 뛰어 세기 해 보시오. (1~4)

1

120000 — 130000 — 140000 — ☐ — ☐

2

350000 — ☐ — 370000 — ☐ — 390000

3

1470000 — 1480000 — ☐ — 1500000 — ☐

4

6230000 — ☐ — ☐ — 6260000 — 6270000

✿ 1억씩 뛰어 세기 해 보시오. (5~7)

5

| 254억 | 255억 | 256억 | | |

6

| 782억 | 783억 | | | 786억 |

7

| 1278억 | | 1280억 | | 1282억 |

✿ 1조씩 뛰어 세기 해 보시오. (8~10)

8

| 123조 | 124조 | 125조 | | |

9

| 642조 | 643조 | | | 646조 |

10

| 1579조 | | 1581조 | | 1583조 |

✿ 뛰어 세기를 했습니다. 빈 곳에 알맞은 수를 써넣으시오. (11~12)

11

| 9600억 | | 9800억 | 9900억 | |

12

| 2850억 | | 2870억 | | 2890억 |

핵심 4-2 큰 수의 크기 비교하기

• 자릿수가 다를 때에는 자릿수가 많은 쪽이 더 큰 수입니다.

24578 $<$ 135793

• 자릿수가 같으면 가장 높은 자리의 숫자부터 차례로 비교합니다.

4725629 $>$ 4718974

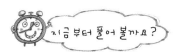

지금부터 풀어 볼까요?

🌸 두 수의 크기를 비교하여 ◯ 안에 >, =, <를 알맞게 써넣으시오. (1~10)

1 132400 ◯ 25670
    6자리 수   5자리 수
        6 ◯ 5

2 573563 ◯ 5735632
    6자리 수   7자리 수
        6 ◯ 7

3 7423058 ◯ 24230561

4 47391682 ◯ 5892938

5 13578 ◯ 14629
        3 ◯ 4

6 82475 ◯ 70832
        8 ◯ 7

7 472148 ◯ 583765

8 692458 ◯ 691574

9 247564 ◯ 247189

10 105897 ◯ 105879

두 수의 크기를 비교하여 ○ 안에 >, =, <를 알맞게 써넣으시오. (11~19)

11 571849002700 ○ 57423283290

12 6542879292800 ○ 6572873232700

13 374480208340000 ○ 374450283240000

14 6482조 9000만 ○ 6282조 9451만

15 423조 198만 ○ 4230178000000000

16 2488135900000000 ○ 2478조 572억

17 367200000000 ○ 사천오백이십칠억

18 13570000000000 ○ 십이조 천칠백억

19 6159842000000 ○ 육조 천오백구십팔억 오천만

시간	1~8분	8~9분	9~10분	10~11분	11~12분	점수A + 점수B	9~10점	7~8점	1~6점
점수 A	5	4	3	2	1				
맞은 개수	18~20개	15~17개	12~14개	9~11개	1~8개		참 잘했어요	잘했어요	좀더 노력하세요
점수 B	5	4	3	2	1				

🌷 □ 안에 알맞은 수를 써넣으시오.

(1~8)

1 10000이 5개, 1000이 8개, 100이 1개, 10이 2개, 1이 7개이면 □ 입니다.

2
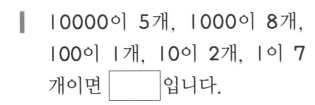

10000이 7개
1000이 1개
100이 3개 ⎫ 이면 □
10이 0개
1이 4개

3

69512는 ⎧ 10000이 □ 개
1000이 □ 개
100이 □ 개
10이 □ 개
1이 □ 개

4 1357246은 만이 □ 개, 1이 □ 개인 수입니다.

5 56402900은 만이 □ 개, 1이 □ 개인 수입니다.

6 40321에서 □ 는 만의 자리의 숫자이고, □ 을 나타냅니다.

7 96100000에서 □ 는 천만의 자리의 숫자이고, □ 을 나타냅니다.

8 57232604에서 □ 은 백만의 자리의 숫자이고, □ 을 나타냅니다.

🌷 □ 안에 알맞은 수를 써넣으시오.

(9~12)

9 10035420000은 억이 □ 개, 만이 □ 개인 수입니다.

10 362014570000은 억이 □ 개, 만이 □ 개인 수입니다.

11 362015470000에서 ☐은 백억의 자리의 숫자이고, ☐을 나타냅니다.

12 695421030000에서 ☐는 십억의 자리의 숫자이고, ☐을 나타냅니다.

🌷 ☐ 안에 알맞은 수를 써넣으시오.
(13~16)

13 2245369800000000은 조가 ☐개, 억이 ☐개인 수입니다.

14 5143078600000000은 조가 ☐개, 억이 ☐개인 수입니다.

15 4752361800000000에서 ☐은 백조의 자리의 숫자이고, ☐를 나타냅니다.

16 9132506400000000에서 ☐은 십조의 자리의 숫자이고, ☐를 나타냅니다.

🌷 뛰어 세기를 했습니다. 빈 곳에 알맞은 수를 써넣으시오. (17~18)

17
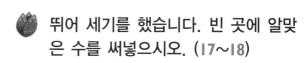
| 115만 | 116만 | ☐ |
| ☐ | ☐ |

18
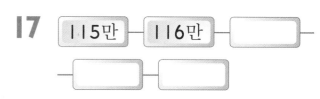
| 27조 | 28조 | ☐ |
| ☐ | ☐ |

🌷 ○ 안에 >, =, <를 알맞게 써넣으시오. (19~20)

19 175억 250만 ○ 180억

20 11조 ○ 10조 9500억

2

곱셈

핵심 1 100, 1000, 10000을 곱하기

어떤 수에 100, 1000, 10000을 곱하면 어떤 수에 곱하는 수의 0의 개수만큼 0을 붙입니다.

$4 \times 100 = 400$ $9 \times 100 = 900$

$4 \times 1000 = 4000$ $9 \times 1000 = 9000$

$4 \times 10000 = 40000$ $9 \times 10000 = 90000$

핵심 2 두 수의 곱셈

- 0이 아닌 숫자끼리 곱하고, 곱하는 두 수의 0의 개수만큼 0을 붙입니다.

0이 4개

$200 \times 600 = 120000$

$2 \times 6 = 12$

0이 5개

$300 \times 6000 = 1800000$

$3 \times 6 = 18$

- 곱하는 수를 일의 자리와 십의 자리로 나누어 일의 자리의 곱과 십의 자리의 곱을 각각 구한 후 더합니다.

$$
\begin{array}{r}
4\ 2\ 5 \\
\times\ \ \ 7\ 3 \\
\hline
1\ 2\ 7\ 5
\end{array}
\Rightarrow
\begin{array}{r}
4\ 2\ 5 \\
\times\ \ \ 7\ 3 \\
\hline
1\ 2\ 7\ 5 \\
2\ 9\ 7\ 5\ \ \,
\end{array}
\Rightarrow
\begin{array}{r}
4\ 2\ 5 \\
\times\ \ \ 7\ 3 \\
\hline
1\ 2\ 7\ 5 \\
2\ 9\ 7\ 5\ \ \, \\
\hline
3\ 1\ 0\ 2\ 5
\end{array}
$$

핵심 3 세 수의 곱셈

세 수의 곱셈은 앞에서부터 차례로 곱합니다.

$$4 \times 7 \times 9 = 28 \times 9 = 252$$

$$
\begin{array}{r}
4 \\
\times\ 7 \\
\hline
2\ 8
\end{array}
\qquad
\begin{array}{r}
2\ 8 \\
\times\ \ \ 9 \\
\hline
2\ 5\ 2
\end{array}
$$

세 수의 곱셈은 순서를 바꾸어 곱해도 계산 결과가 같습니다.

$4 \times 7 \times 9 = 28 \times 9 = 252$

$4 \times 7 \times 9 = 4 \times 63 = 252$

핵심 1 100, 1000, 10000을 곱하기

$$3 \times 100 = 300 \quad\text{(0이 2개)}$$
$$3 \times 1 = 3$$

$$3 \times 1000 = 3000 \quad\text{(0이 3개)}$$
$$3 \times 1 = 3$$

$$3 \times 10000 = 30000 \quad\text{(0이 4개)}$$
$$3 \times 1 = 3$$

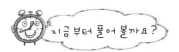

1
$5 \times 100 =$
$5 \times 1000 =$
$5 \times 10000 =$

2
$7 \times 100 =$
$7 \times 1000 =$
$7 \times 10000 =$

3
$14 \times 100 =$
$14 \times 1000 =$
$14 \times 10000 =$

4
$89 \times 100 =$
$89 \times 1000 =$
$89 \times 10000 =$

5
$617 \times 100 =$
$617 \times 1000 =$
$617 \times 10000 =$

6
$835 \times 100 =$
$835 \times 1000 =$
$835 \times 10000 =$

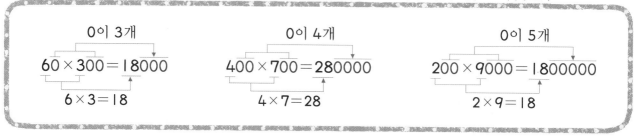

시간	1~8분	8~10분	10~12분	점수 A + 점수 B	8~10점	5~7점	1~4점
점수 A	5	3	1		참 잘했어요	잘했어요	좀더 노력하세요
맞은 개수	19~22개	14~18개	1~13개				
점수 B	5	3	1				

핵심 2-1 （몇십）×（몇백）, （몇백）×（몇백）, （몇백）×（몇천）

0이 3개
$$60 \times 300 = 18000$$
$$6 \times 3 = 18$$

0이 4개
$$400 \times 700 = 280000$$
$$4 \times 7 = 28$$

0이 5개
$$200 \times 9000 = 1800000$$
$$2 \times 9 = 18$$

지금부터 풀어 볼까요?

1 $20 \times 700 = \boxed{}000$

$2 \times 7 = \boxed{}$

2 $40 \times 500 = \boxed{}000$

$4 \times 5 = \boxed{}$

3 $500 \times 900 = \boxed{}0000$

$5 \times 9 = \boxed{}$

4 $800 \times 300 = \boxed{}0000$

$8 \times 3 = \boxed{}$

5 $700 \times 400 = \boxed{}0000$

$7 \times 4 = \boxed{}$

6 $300 \times 5000 = \boxed{}00000$

$3 \times 5 = \boxed{}$

7 $600 \times 8000 = \boxed{}00000$

$6 \times 8 = \boxed{}$

8 $700 \times 7000 = \boxed{}00000$

$7 \times 7 = \boxed{}$

9 $20 \times 500 =$

10 $40 \times 300 =$

11 $50 \times 700 =$

12 $90 \times 200 =$

13 $300 \times 900 =$

14 $400 \times 400 =$

15 $600 \times 700 =$

16 $800 \times 900 =$

17 $900 \times 900 =$

18 $500 \times 5000 =$

19 $400 \times 8000 =$

20 $700 \times 3000 =$

21 $800 \times 8000 =$

22 $900 \times 4000 =$

핵심 2-2 (세 자리 수) × (몇십)

$$361 \times 20 = 7220$$

0이 1개

$361 \times 2 = 722$

$$\begin{array}{r} 361 \\ \times\ 20 \\ \hline \end{array} \Rightarrow \begin{array}{r} 361 \\ \times\ 20 \\ \hline 0 \end{array} \Rightarrow \begin{array}{r} 361 \\ \times\ 20 \\ \hline 7220 \end{array}$$

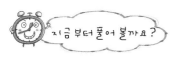

1
$$\begin{array}{r} 187 \\ \times\quad 50 \\ \hline \end{array}$$

2
$$\begin{array}{r} 293 \\ \times\quad 30 \\ \hline \end{array}$$

3
$$\begin{array}{r} 315 \\ \times\quad 20 \\ \hline \end{array}$$

4
$$\begin{array}{r} 258 \\ \times\quad 90 \\ \hline \end{array}$$

5
$$\begin{array}{r} 362 \\ \times\quad 40 \\ \hline \end{array}$$

6
$$\begin{array}{r} 476 \\ \times\quad 80 \\ \hline \end{array}$$

7 $139 \times 60 =$

8 $277 \times 30 =$

9 $261 \times 50 =$

10 $362 \times 40 =$

11 $396 \times 70 =$

12 $418 \times 80 =$

13 $592 \times 20 =$

14 $668 \times 60 =$

15 $697 \times 90 =$

16 $751 \times 30 =$

17 $763 \times 40 =$

18 $817 \times 70 =$

19 $838 \times 50 =$

20 $908 \times 40 =$

핵심 2-3 (세 자리 수) × (두 자리 수) (1)

```
    574        574        574        574
  ×  42      ×  42      ×  42      ×  42
    ────   →  ────   →   ────   →   ────
             1148       1148       1148
                        2296       2296
                                  ─────
                                  24108
```

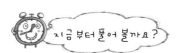

1
```
    149
  ×  61
```

2
```
    179
  ×  86
```

3
```
    234
  ×  56
```

4
```
    296
  ×  62
```

5
```
    334
  ×  48
```

6
```
    378
  ×  94
```

7
$$\begin{array}{r} 413 \\ \times69 \\ \hline \end{array}$$

8
$$\begin{array}{r} 469 \\ \times73 \\ \hline \end{array}$$

9
$$\begin{array}{r} 517 \\ \times36 \\ \hline \end{array}$$

10
$$\begin{array}{r} 536 \\ \times95 \\ \hline \end{array}$$

11
$$\begin{array}{r} 642 \\ \times53 \\ \hline \end{array}$$

12
$$\begin{array}{r} 699 \\ \times81 \\ \hline \end{array}$$

13
$$\begin{array}{r} 755 \\ \times26 \\ \hline \end{array}$$

14
$$\begin{array}{r} 807 \\ \times31 \\ \hline \end{array}$$

15
$$\begin{array}{r} 866 \\ \times89 \\ \hline \end{array}$$

16
$$\begin{array}{r} 967 \\ \times83 \\ \hline \end{array}$$

핵심 2-4 (세 자리 수) × (두 자리 수)(2)

・234×12의 계산

12=2+10이므로 234×2와 234×10을 계산하여 그 결과를 더합니다.

$$234 \times 12 = 234 \times 2 + 234 \times 10$$
$$= 468 + 2340$$
$$= 2808$$

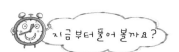

1 152×22

$$= 152 \times 2 + 152 \times \boxed{}$$

$$= \boxed{} + \boxed{}$$

$$= \boxed{}$$

2 197×14

$$= 197 \times \boxed{} + 197 \times 10$$

$$= \boxed{} + \boxed{}$$

$$= \boxed{}$$

3 264×34

$$= 264 \times 4 + 264 \times \boxed{}$$

$$= \boxed{} + \boxed{}$$

$$= \boxed{}$$

4 365×27

$$= 365 \times \boxed{} + 365 \times 20$$

$$= \boxed{} + \boxed{}$$

$$= \boxed{}$$

5 621×43

$$= 621 \times 3 + 621 \times \boxed{}$$

$$= \boxed{} + \boxed{}$$

$$= \boxed{}$$

6 704×25

$$= 704 \times \boxed{} + 704 \times 20$$

$$= \boxed{} + \boxed{}$$

$$= \boxed{}$$

7 502×15=

8 428×12=

9 312×18=

10 562×16=

11 465×21=

12 369×11=

13 562×34=

14 762×23=

15 625×34=

16 921×27=

17 842×63=

18 765×32=

19 567×49=

20 674×75=

시간	1~25분	25~30분	30~35분	점수 A + 점수 B	8~10점	5~7점	1~4점
점수 A	5	3	1				
맞은 개수	29~34개	21~28개	1~20개		참 잘했어요	잘했어요	좀더 노력하세요
점수 B	5	3	1				

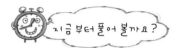 **3** 세 수의 곱셈

$$8 \times 6 \times 3 = 144$$
$$48$$
$$144$$

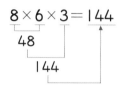 지금부터 풀어 볼까요?

1 $5 \times 6 \times 7 = \boxed{}$

2 $9 \times 4 \times 12 = \boxed{}$

3 $6 \times 54 \times 2 = \boxed{}$

4 $7 \times 36 \times 15 = \boxed{}$

5 $39 \times 5 \times 8 = \boxed{}$

6 $17 \times 6 \times 52 = \boxed{}$

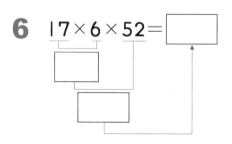

7 $6 \times 7 \times 8 =$

8 $3 \times 8 \times 4 =$

9 $4 \times 4 \times 9 =$

10 $5 \times 6 \times 8 =$

11 $9 \times 2 \times 7 =$

12 $5 \times 3 \times 7 =$

13 $6 \times 4 \times 12 =$

14 $7 \times 5 \times 33 =$

15 $8 \times 5 \times 91 =$

16 $4 \times 21 \times 5 =$

17 $2 \times 19 \times 6 =$

18 $9 \times 4 \times 67 =$

19 $5 \times 9 \times 45 =$

20 $4 \times 8 \times 76 =$

21 $5 \times 12 \times 7 =$

22 $3 \times 54 \times 8 =$

23 $7 \times 26 \times 4 =$

24 $8 \times 43 \times 9 =$

25 $64 \times 5 \times 3 =$

26 $84 \times 3 \times 7 =$

27 $69 \times 4 \times 8 =$

28 $71 \times 6 \times 9 =$

29 $9 \times 43 \times 25 =$

30 $6 \times 21 \times 37 =$

31 $4 \times 85 \times 71 =$

32 $7 \times 28 \times 93 =$

33 $54 \times 6 \times 21 =$

34 $79 \times 4 \times 38 =$

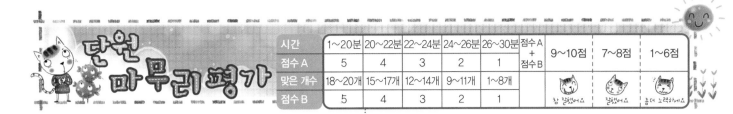

시간	1~20분	20~22분	22~24분	24~26분	26~30분	점수 A + 점수 B	9~10점	7~8점	1~6점
점수 A	5	4	3	2	1				
맞은 개수	18~20개	15~17개	12~14개	9~11개	1~8개		참 잘했어요	잘했어요	좀더 노력하세요
점수 B	5	4	3	2	1				

 곱셈을 하시오. (1~20)

1 $37 \times 100 =$

2 $607 \times 1000 =$

3 $70 \times 500 = \boxed{}\,000$

$7 \times 5 = \boxed{}$

4 $600 \times 300 =$

5 $900 \times 8000 =$

6
$$
\begin{array}{r}
537 \\
\times \quad 80 \\
\hline
\end{array}
$$

7
$$
\begin{array}{r}
627 \\
\times \quad 30 \\
\hline
\end{array}
$$

8
$$
\begin{array}{r}
927 \\
\times \quad 50 \\
\hline
\end{array}
$$

9 $648 \times 50 =$

10 $809 \times 70 =$

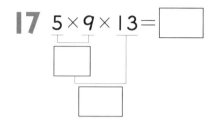

11
$$\begin{array}{r} 4\,4\,1 \\ \times \quad 2\,7 \\ \hline \end{array}$$

12
$$\begin{array}{r} 8\,0\,3 \\ \times \quad 8\,5 \\ \hline \end{array}$$

13
$$\begin{array}{r} 9\,7\,3 \\ \times \quad 8\,4 \\ \hline \end{array}$$

14 $298 \times 25 =$

15 $627 \times 35 =$

16 $754 \times 42 =$

17 $5 \times 9 \times 13 = \boxed{}$

18 $7 \times 31 \times 4 = \boxed{}$

19 $8 \times 27 \times 94 =$

20 $64 \times 9 \times 35 =$

3

나눗셈

핵심 1 몇십으로 나누기

• 10씩 묶음의 수로 생각하여 계산합니다.

$$60 \div 20 = 3 \qquad 150 \div 50 = 3$$
$$6 \div 2 = 3 \qquad 15 \div 5 = 3$$

• 몫을 구한 후 검산으로 계산이 맞는지 확인합니다.

나눗셈의 검산
(나누는 수)×(몫)+(나머지)
=(나누어지는 수)

$$20 \overline{)178} \;\Rightarrow\; 20 \overline{)178}^{\,8} \;\Rightarrow\; 20 \overline{)178}^{\,8} \quad \begin{array}{r} 160 \\ \hline 18 \end{array}$$

$$178 \div 20 = 8 \cdots 18$$

검산 $\quad 20 \times 8 + 18 = 178$

핵심 2 두 자리 수로 나누기

나누는 수와 몫의 곱이 나누어지는 수보다 작게 몫을 정합니다.

$$32 \overline{)296} \;\Rightarrow\; 32 \overline{)296}^{\,9} \;\Rightarrow\; 32 \overline{)296}^{\,9} \quad \begin{array}{r} 288 \\ \hline 8 \end{array}$$

$$296 \div 32 = 9 \cdots 8$$

검산 $\quad 32 \times 9 + 8 = 296$

세로셈에서는 몫의 자리를 정확히 맞추어 써야 합니다.

$$69 \overline{)475}^{\,60} \quad \begin{array}{r} 414 \\ \hline 61 \end{array} \quad (\times)$$

$$69 \overline{)475}^{\,6} \quad \begin{array}{r} 414 \\ \hline 61 \end{array} \quad (\circ)$$

나누어지는 수의 왼쪽 두 자리 수가 나누는 수보다 크면 몫은 두 자리 수가 됩니다.

$$35 \overline{)789} \;\Rightarrow\; 35 \overline{)789}^{\,2} \quad \begin{array}{r} 70 \\ \hline 8 \end{array} \;\Rightarrow\; 35 \overline{)789}^{\,2} \quad \begin{array}{r} 70 \\ \hline 89 \end{array} \;\Rightarrow\; 35 \overline{)789}^{\,22} \quad \begin{array}{r} 70 \\ \hline 89 \\ 70 \\ \hline 19 \end{array}$$

$$789 \div 35 = 22 \cdots 19$$

검산 $\quad 35 \times 22 + 19 = 789$

핵심 1-1 (몇십)÷(몇십), (몇백 몇십)÷(몇십)

- (몇십)÷(몇십)은 (몇)÷(몇)의 계산과 같습니다.

$$80÷40=2$$
$$8÷4=2$$

- (몇백 몇십)÷(몇십)은 (몇십 몇)÷(몇)의 계산과 같습니다.

$$240÷60=4$$
$$24÷6=4$$

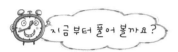 지금부터 풀어 볼까요?

1 $40÷20=\boxed{}$

$4÷2=\boxed{}$

2 $90÷30=\boxed{}$

$9÷3=\boxed{}$

3 $120÷40=\boxed{}$

$12÷4=\boxed{}$

4 $160÷80=\boxed{}$

$16÷8=\boxed{}$

5 $150÷30=\boxed{}$

$15÷3=\boxed{}$

6 $270÷90=\boxed{}$

$27÷9=\boxed{}$

7 $450÷50=\boxed{}$

$45÷5=\boxed{}$

8 $630÷70=\boxed{}$

$63÷7=\boxed{}$

핵심 1-2 (세 자리 수) ÷ (몇십)

$$40\overline{)391} \Rightarrow 40\overline{)391}^{\,9} \Rightarrow \begin{array}{r} 9 \\ 40\overline{)391} \\ 360 \\ \hline 31 \end{array}$$

$$391 \div 40 = 9 \cdots 31 \Rightarrow \boxed{검산} \quad 40 \times 9 + 31 = 391$$

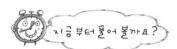

1 $20\overline{)158}$

검산 _____

2 $20\overline{)179}$

검산 _____

3 $30\overline{)167}$

검산 _____

4 $30\overline{)208}$

검산 _____

5 $40\overline{)216}$

검산 _____

6 $40\overline{)392}$

검산 _____

7
$$50\overline{)125}$$

검산 ------------------------------

8
$$50\overline{)436}$$

검산 ------------------------------

9
$$60\overline{)382}$$

검산 ------------------------------

10
$$60\overline{)573}$$

검산 ------------------------------

11
$$70\overline{)406}$$

검산 ------------------------------

12
$$70\overline{)698}$$

검산 ------------------------------

13
$$80\overline{)321}$$

검산 ------------------------------

14
$$80\overline{)792}$$

검산 ------------------------------

15
$$90\overline{)531}$$

검산 ------------------------------

16
$$90\overline{)807}$$

검산 ------------------------------

시간	1~20분	20~25분	25~30분	점수 A + 점수 B	8~10점	5~7점	1~4점
점수 A	5	3	1				
맞은 개수	14~16개	10~13개	1~9개				
점수 B	5	3	1				

핵심 2-1 (두 자리 수)÷(두 자리 수)

$$16 \overline{)82} \quad \Rightarrow \quad 16 \overline{)82}^{\,5} \quad \Rightarrow \quad \begin{array}{r} 5 \\ 16 \overline{)82} \\ \underline{80} \\ 2 \end{array}$$

$82 \div 16 = 5 \cdots 2 \quad \Rightarrow \quad$ 검산 $\quad 16 \times 5 + 2 = 82$

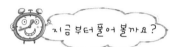

1

$12 \overline{)39}$

검산 _____

2

$21 \overline{)67}$

검산 _____

3

$25 \overline{)83}$

검산 _____

4

$32 \overline{)67}$

검산 _____

5

$35 \overline{)97}$

검산 _____

6

$42 \overline{)89}$

검산 _____

7

$$43 \overline{\smash{)}96}$$

검산

8

$$44 \overline{\smash{)}92}$$

검산

9

$$28 \overline{\smash{)}63}$$

검산

10

$$37 \overline{\smash{)}83}$$

검산

11

$$39 \overline{\smash{)}91}$$

검산

12

$$48 \overline{\smash{)}99}$$

검산

13

$$29 \overline{\smash{)}94}$$

검산

14

$$14 \overline{\smash{)}57}$$

검산

15

$$17 \overline{\smash{)}81}$$

검산

16

$$19 \overline{\smash{)}87}$$

검산

시간	1~20분	20~25분	25~30분	점수 A + 점수 B	8~10점	5~7점	1~4점
점수 A	5	3	1				
맞은 개수	14~16개	10~13개	1~9개		참 잘했어요	잘했어요	좀더 노력하세요
점수 B	5	3	1				

핵심 2-2 몫이 한 자리 수인 (세 자리 수) ÷ (두 자리 수)

$$49\overline{)273} \quad \Rightarrow \quad 49\overline{)273}^{\,5} \quad \Rightarrow \quad \begin{array}{r} 5 \\ 49\overline{)273} \\ 245 \\ \hline 28 \end{array}$$

$$273 \div 49 = 5 \cdots 28 \quad \Rightarrow \quad \boxed{검산} \quad 49 \times 5 + 28 = 273$$

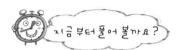
지금부터 풀어 볼까요?

1
$$52\overline{)285}$$

검산 ------------------------------

2
$$61\overline{)293}$$

검산 ------------------------------

3
$$63\overline{)317}$$

검산 ------------------------------

4
$$81\overline{)637}$$

검산 ------------------------------

5
$$55\overline{)374}$$

검산 ------------------------------

6
$$57\overline{)364}$$

검산 ------------------------------

7

$58\overline{)409}$

검산 ------------------------------

8

$66\overline{)482}$

검산 ------------------------------

9

$69\overline{)627}$

검산 ------------------------------

10

$74\overline{)583}$

검산 ------------------------------

11

$75\overline{)609}$

검산 ------------------------------

12

$76\overline{)683}$

검산 ------------------------------

13

$78\overline{)769}$

검산 ------------------------------

14

$85\overline{)693}$

검산 ------------------------------

15

$92\overline{)807}$

검산 ------------------------------

16

$97\overline{)935}$

검산 ------------------------------

	1~25분	25~30분	30~35분	점수 A + 점수 B	8~10점	5~7점	1~4점
시간							
점수 A	5	3	1				
맞은 개수	17~20개	12~16개	1~11개		참 잘했어요	잘했어요	좀더 노력하세요
점수 B	5	3	1				

핵심 2-3 몫이 두 자리 수인 (세 자리 수) ÷ (두 자리 수)

$$37 \overline{)492} \Rightarrow \begin{array}{r} 1 \\ 37 \overline{)492} \\ 37 \\ \hline 12 \end{array} \Rightarrow \begin{array}{r} 1 \\ 37 \overline{)492} \\ 37 \\ \hline 122 \end{array} \Rightarrow \begin{array}{r} 13 \\ 37 \overline{)492} \\ 37 \\ \hline 122 \\ 111 \\ \hline 11 \end{array}$$

$$492 \div 37 = 13 \cdots 11 \Rightarrow \boxed{검산} \quad 37 \times 13 + 11 = 492$$

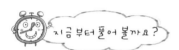

1

$$44 \overline{)486}$$

검산 _____

2

$$62 \overline{)705}$$

검산 _____

3

$$87 \overline{)961}$$

검산 _____

4

$$47 \overline{)585}$$

검산 _____

5
$$68 \overline{)862}$$

검산 --

6
$$51 \overline{)691}$$

검산 --

7
$$73 \overline{)964}$$

검산 --

8
$$56 \overline{)831}$$

검산 --

9
$$21 \overline{)367}$$

검산 --

10
$$34 \overline{)592}$$

검산 --

11
$$35 \overline{)638}$$

검산 --

12
$$14 \overline{)276}$$

검산 --

13

18$\overline{)804}$

검산 _____

14

12$\overline{)542}$

검산 _____

15

39$\overline{)934}$

검산 _____

16

27$\overline{)772}$

검산 _____

17

22$\overline{)651}$

검산 _____

18

25$\overline{)738}$

검산 _____

19

71$\overline{)775}$

검산 _____

20

16$\overline{)492}$

검산 _____

시간	1~20분	20~22분	22~24분	24~26분	26~30분	점수A + 점수B	9~10점	7~8점	1~6점
점수 A	5	4	3	2	1				
맞은 개수	18~20개	15~17개	12~14개	9~11개	1~8개		참 잘했어요	잘했어요	좀더 노력하세요
점수 B	5	4	3	2	1				

 ☐ 안에 알맞은 수를 써넣으시오.

(1~3)

1 $60 \div 30 = \boxed{}$

$6 \div 3 = \boxed{}$

2 $320 \div 40 = \boxed{}$

$32 \div 4 = \boxed{}$

3 $720 \div 80 = \boxed{}$

$72 \div 8 = \boxed{}$

🌷 나눗셈을 하고, 검산하시오. (4~20)

4 $40 \overline{)367}$

검산 _____

5 $50 \overline{)408}$

검산 _____

6 $70 \overline{)639}$

검산 _____

7 $90 \overline{)742}$

검산 _____

8 $18 \overline{)73}$

검산 _____

9 $26 \overline{)68}$

검산 _____

10 $37 \overline{)93}$

검산 _____

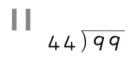
11 44) 99

검산 _____

12 61) 267

검산 _____

13 75) 358

검산 _____

14 84) 694

검산 _____

15 93) 907

검산 _____

16 46) 573

검산 _____

17 59) 806

검산 _____

18 37) 824

검산 _____

19 23) 537

검산 _____

20 18) 692

검산 _____

4

규칙 찾기

핵심 1 수의 배열에서 규칙 찾기

(1) 수 배열표에서 규칙 찾기

101	111	121	131
201	211	221	231
301	311	321	331
401	411	421	431

• 가로는 101부터 시작하여 오른쪽으로 10씩 커집니다.

• 세로는 101부터 시작하여 아래쪽으로 100씩 커집니다.

• ↘ 방향으로는 110씩 커집니다.

• ↗ 방향으로는 90씩 작아집니다.

수 배열표에서 → 방향으로 ■씩 커지고 ↓ 방향으로 ▲씩 커지면 ↘ 방향으로 (■+▲)씩 커집니다.

(2) 수의 배열에서 규칙 찾기

③ — ⑥ — ⑫ — ㉔ — ㊽

➡ 3부터 시작하여 2씩 곱해진 수가 오른쪽에 있습니다.

수의 배열에서 규칙을 찾을 때 수의 크기가 증가하면 덧셈 또는 곱셈을 활용하고, 수의 크기가 감소하면 뺄셈 또는 나눗셈을 활용하여 규칙을 찾아봅니다.

핵심 2 계산식에서 규칙 찾기

(1) 곱셈식에서 곱하는 수가 2배, 3배, 4배, …씩 커지면 곱은 2배, 3배, 4배, …씩 커집니다.

$$150×2=300, 150×4=600, 150×6=900$$

(2) 나눗셈식에서 나누어지는 수가 2배, 3배, 4배, …씩 커지고, 나누는 수가 2배, 3배, 4배, …씩 커지면 그 몫은 모두 같습니다.

$$123÷3=41, 246÷6=41, 369÷9=41$$

핵심 3 규칙적인 계산식을 찾아보기

21	23	25	27	29
31	33	35	37	39

• ↘ 방향의 수의 합과 ↗ 방향의 수의 합은 같습니다.

$$21+33=23+31, 23+35=25+33$$

• 일정한 규칙으로 커지는 세 수의 합은 가운데 수의 3배와 같습니다.

$$21+23+25=23×3$$
$$31+33+35=33×3$$

일상생활에서 접할 수 있는 도표, 그래프, 수 배열표 등의 수의 배열에서 규칙적인 계산식을 만들고 이야기함으로써 정보 처리, 의사소통 능력을 기를 수 있습니다.

시간	1~5분	5~6분	6~7분	점수A + 점수B	8~10점	5~7점	1~4점
점수A	5	3	1				
맞은 개수	7~8개	5~6개	1~4개		참 잘했어요	잘했어요	좀더 노력하세요
점수B	5	3	1				

핵심 1-1 수 배열표에서 규칙 찾기

100	110	120	130	140	150
200	210	220	230	240	250
300	310	320	330	340	350
400	410	420	430	440	450

• 가로는 오른쪽으로 10씩 커집니다.
• 세로는 아래쪽으로 100씩 커집니다.
• ＼ 방향은 110씩 커집니다.

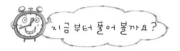

🌸 수 배열표를 보고 물음에 답하시오. (1~4)

1205	1305	1405	1505	1605	1705
2205	2305	2405	2505	2605	2705
3205	3305	3405	3505	3605	3705
4205	4305	4405	4505	4605	4705

1 가로줄에 나타난 규칙을 찾아보면 오른쪽으로 ☐ 씩 커지는 규칙입니다.

2 세로줄에 나타난 규칙을 찾아보면 아래쪽으로 ☐ 씩 커지는 규칙입니다.

3 화살표 방향에 나타난 규칙을 찾아보면 1205에서 시작하여 화살표 방향으로 ☐ 씩 커지는 규칙입니다.

4 색칠한 칸에 나타난 규칙을 찾아보면 1705에서 시작하여 ／ 방향으로 ☐ 씩 커지는 규칙입니다.

🌸 수 배열의 규칙에 맞게 빈칸에 들어갈 수를 써넣으시오. (5~8)

5

2350	2360	2370			2400	2410
2450			2480	2490	2500	2510
2550	2560	2570	2580			2610
2650	2660			2690	2700	2710

6

1358	2358	3358	4358	5358		
1458		3458		5458	6458	7458
1558	2558		4558		6558	7558
		3658	4658	5658	6658	7658

7

9870			9840	9830	9820	9810
8870	8860	8850	8840	8830		
7870	7860	7850			7820	7810
6870	6860			6830	6820	6810

8

8765	7765	6765			3765	2765
		6665	5665	4665	3665	2665
8565	7565	6565	5565	4565		
8465	7465			4465	3465	2465

핵심 1-2 수의 배열에서 규칙 찾기

➡ 100부터 시작하여 오른쪽으로 100, 200, 300, …씩 커지는 규칙입니다.

➡ 1부터 시작하여 2씩 곱해진 수가 오른쪽에 있습니다.

지금부터 풀어 볼까요?

❀ 수 배열의 규칙에 맞게 빈칸에 들어갈 수를 써넣으시오. (1~4)

1 | 11 | 21 | 41 | 71 | | | |

2

157 — 177 — 217 — 277 — ☐ — ☐ — ☐

3

980 — 970 — 950 — 920 — ☐ — ☐ — ☐

4

765 — 760 — 750 — 735 — ☐ — ☐ — ☐

수 배열의 규칙에 맞게 빈칸에 들어갈 수를 써넣으시오. (5~12)

5 | 1 | 3 | 9 | 27 | | |

6 | 3 | 6 | 12 | 24 | | |

7 | 1 | 4 | 16 | 64 | | |

8 | 11 | 22 | 44 | 88 | | |

9 | 64 | 32 | 16 | 8 | | |

10 | 480 | 240 | 120 | 60 | | |

11 | 2187 | 729 | 243 | 81 | | |

12 | 3125 | 625 | 125 | 25 | | |

핵심 2-1 덧셈식과 뺄셈식에서 규칙 찾기

$206+203=409$
$216+213=429$
$226+223=449$
$236+233=469$

십의 자리 숫자가 각각 1씩 커지는 두 수의 합은 20씩 커집니다.

$980-750=230$
$880-650=230$
$750-550=230$
$680-450=230$

같은 자리의 숫자가 똑같이 작아지는 두 수의 차는 항상 일정합니다.

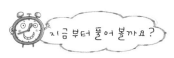
지금부터 풀어 볼까요?

계산식 배열의 규칙에 맞게 빈칸에 들어갈 식을 써넣으시오. (1~12)

1
$900+200=1100$
$800+300=1100$
$700+400=1100$
$600+500=1100$

2
$325-125=200$
$425-225=200$
$525-325=200$
$625-425=200$

3
$300+400=700$
$400+500=900$
$500+600=1100$
$600+700=1300$

4
$850-150=700$
$850-250=600$
$850-350=500$
$850-450=400$

5
157+215=372
167+225=392
177+235=412
187+245=432

```
┌─────────────────────┐
│                     │
└─────────────────────┘
```

6
960−125=835
860−225=635
760−325=435
660−425=235

```
┌─────────────────────┐
│                     │
└─────────────────────┘
```

7
768+284=1052
758+274=1032
748+264=1012

```
┌─────────────────────┐
│                     │
└─────────────────────┘
```
728+244=972

8
546−215=331
646−215=431
746−215=531

```
┌─────────────────────┐
│                     │
└─────────────────────┘
```
946−215=731

9
500+400=900
700+500=1200
900+600=1500

```
┌─────────────────────┐
│                     │
└─────────────────────┘
```
1300+800=2100

10
980−650=330
880−550=330
780−450=330

```
┌─────────────────────┐
│                     │
└─────────────────────┘
```
580−250=330

11
1200+500=1700
2400+500=2900
3600+500=4100

```
┌─────────────────────┐
│                     │
└─────────────────────┘
```
6000+500=6500

12
1750−900=850
1700−800=900
1650−700=950

```
┌─────────────────────┐
│                     │
└─────────────────────┘
```
1550−500=1050

핵심 2-2 곱셈식과 나눗셈식에서 규칙 찾기

$$140 \times 2 = 280$$
$$140 \times 4 = 560$$
$$140 \times 6 = 840$$

곱하는 수가 2배, 3배, …씩 커지면 곱은 2배, 3배, …씩 커집니다.

$$156 \div 3 = 52$$
$$312 \div 6 = 52$$
$$468 \div 9 = 52$$

나누어지는 수가 2배, 3배, …씩 커지고 나누는 수가 2배, 3배, …씩 커지면 그 몫은 모두 같습니다.

 지금부터 풀어 볼까요?

🌸 계산식 배열의 규칙에 맞게 빈칸에 들어갈 식을 써넣으시오. (1~12)

1
$$125 \times 4 = 500$$
$$125 \times 8 = 1000$$
$$125 \times 12 = 1500$$
$$125 \times 16 = 2000$$

2
$$111 \div 3 = 37$$
$$222 \div 6 = 37$$
$$333 \div 9 = 37$$
$$444 \div 12 = 37$$

3
$$100 \times 8 = 800$$
$$200 \times 8 = 1600$$
$$300 \times 8 = 2400$$
$$400 \times 8 = 3200$$

4
$$117 \div 9 = 13$$
$$234 \div 9 = 26$$
$$351 \div 9 = 39$$
$$468 \div 9 = 52$$

5
$$160 \times 8 = 1280$$
$$320 \times 8 = 2560$$

$$640 \times 8 = 5120$$

6
$$100 \div 4 = 25$$
$$200 \div 8 = 25$$

$$400 \div 16 = 25$$

7
$$512 \times 5 = 2560$$
$$256 \times 5 = 1280$$

$$64 \times 5 = 320$$

8
$$2187 \div 3 = 729$$
$$729 \div 9 = 81$$

$$81 \div 81 = 1$$

9
$$8 \times 106 = 848$$
$$8 \times 1006 = 8048$$
$$8 \times 10006 = 80048$$

10
$$111111 \div 7 = 15873$$
$$222222 \div 14 = 15873$$
$$333333 \div 21 = 15873$$

11
$$1 \times 1 = 1$$
$$11 \times 11 = 121$$
$$111 \times 111 = 12321$$

$$11111 \times 11111 = 123454321$$

12
$$111111 \div 111 = 1001$$
$$333333 \div 111 = 3003$$
$$555555 \div 111 = 5005$$

$$999999 \div 111 = 9009$$

핵심 3 규칙적인 계산식을 찾아보기

30	31	32	33	34	35	36
37	38	39	40	41	42	43

- ↘ 방향의 수의 합과 ↗ 방향의 수의 합은 같습니다.
  $30+38=31+37$, $31+39=32+38$
- 연속된 세 수의 합은 가운데 수의 3배와 같습니다.
  $30+31+32=31\times3=93$, $37+38+39=38\times3=114$

🌸 수 배열표를 보고 규칙적인 계산식을 찾아 ☐ 안에 알맞은 수를 써넣으시오. (1~4)

250	251	252	253	254	255
256	257	258	259	260	261
262	263	264	265	266	267

1
$255-250=\boxed{}$
$261-256=\boxed{}$
$267-262=\boxed{}$

2
$262-250=\boxed{}$
$263-251=\boxed{}$
$264-252=\boxed{}$

3
$250+257=\boxed{}+256$
$251+258=252+\boxed{}$
$\boxed{}+259=253+258$
$253+\boxed{}=254+259$

4
$256+257+258=257\times\boxed{}$
$257+258+259=258\times\boxed{}$
$258+259+260=\boxed{}\times3$
$259+260+261=\boxed{}\times3$

주어진 곱셈식의 규칙을 이용하여 나눗셈식을 써 보시오. (5~6)

5
$18 \times 37 = 666$
$21 \times 37 = 777$
$24 \times 37 = 888$
$27 \times 37 = 999$

6
$15 \times 12 = 180$
$30 \times 12 = 360$
$45 \times 12 = 540$
$60 \times 12 = 720$

※ 주어진 나눗셈식의 규칙을 이용하여 곱셈식을 써 보시오. (7~8)

7
$150 \div 10 = 15$
$300 \div 20 = 15$
$450 \div 30 = 15$
$600 \div 40 = 15$

8
$132 \div 11 = 12$
$264 \div 22 = 12$
$396 \div 33 = 12$
$528 \div 44 = 12$

※ 계산식에서 규칙을 찾아 ☐ 안에 알맞은 수를 써넣으시오. (9~10)

9
$3 \div 3 = 1$
$9 \div 3 \div 3 = 1$
$27 \div 3 \div \boxed{} \div \boxed{} = \boxed{}$
$81 \div 3 \div \boxed{} \div \boxed{} \div \boxed{} = \boxed{}$

10
$5 \div 5 = 1$
$25 \div 5 \div 5 = 1$
$125 \div 5 \div \boxed{} \div \boxed{} = \boxed{}$
$625 \div 5 \div \boxed{} \div \boxed{} \div \boxed{} = \boxed{}$

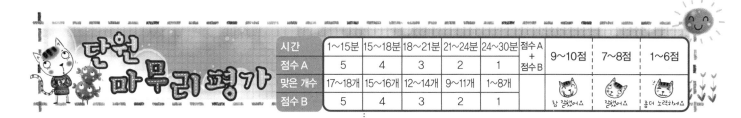

시간	1~15분	15~18분	18~21분	21~24분	24~30분	점수A + 점수B	9~10점	7~8점	1~6점
점수A	5	4	3	2	1				
맞은 개수	17~18개	15~16개	12~14개	9~11개	1~8개		참 잘했어요	잘했어요	좀더 노력하세요
점수B	5	4	3	2	1				

🌷 수 배열표를 보고 규칙을 찾아 ▢ 안에 알맞은 수를 써넣으시오. (1~4)

120	121	122	123	124
125	126	127	128	129
130	131	132	133	134

1 가로줄에 나타난 규칙을 찾아 보면 ▢씩 커지는 규칙입니다.

2 세로줄에 나타난 규칙을 찾아 보면 ▢씩 커지는 규칙입니다.

3 화살표 방향에 나타난 규칙을 찾아보면 ▢씩 커지는 규칙입니다.

4 색칠한 칸에 나타난 규칙을 찾아 보면 ▢씩 커지는 규칙입니다.

🌷 수 배열의 규칙에 맞게 빈칸에 들어갈 수를 써넣으시오. (5~6)

5

180	182	184	186	
280	282			288
380		384	386	388
480		484	486	

6

1500	1600	1700		1900
2500		2700	2800	2900
3500	3600			3900
	4600	4700	4800	

🌷 수 배열의 규칙에 맞게 빈칸에 들어갈 수를 써넣으시오. (7~10)

7
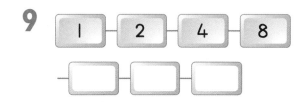

8

985 — 980 — ▢ — 970

▢ — 960 — 955 — ▢

9

1 — 2 — 4 — 8

▢ — ▢ — ▢

10
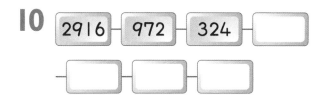

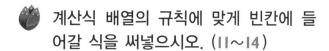
 계산식 배열의 규칙에 맞게 빈칸에 들어갈 식을 써넣으시오. (11~14)

11
$$102+207=309$$
$$112+217=329$$
$$122+227=349$$
$$132+237=369$$

（　　　　　　　　　）

12
$$1600-1400=200$$
$$2600-2400=200$$
$$3600-3400=200$$
$$4600-4400=200$$

（　　　　　　　　　）

13
$$4\times80=320$$
$$8\times40=320$$
$$16\times20=320$$
$$32\times10=320$$

（　　　　　　　　　）

14
$$600\div30=20$$
$$900\div30=30$$
$$1200\div30=40$$
$$1500\div30=50$$

（　　　　　　　　　）

 수 배열표에서 규칙적인 계산식을 찾아 빈칸에 알맞은 수를 써넣으시오.

（15~18）

123	125	127	129	131
133	135	137	139	141
143	145	147	149	151

15
$$131-123=\boxed{}$$
$$141-133=\boxed{}$$
$$151-143=\boxed{}$$

16
$$143-123=\boxed{}$$
$$145-125=\boxed{}$$
$$147-127=\boxed{}$$
$$149-129=\boxed{}$$

17
$$123+135=125+\boxed{}$$
$$125+137=\boxed{}+135$$
$$127+\boxed{}=129+137$$
$$\boxed{}+141=131+139$$

18
$$143+145+147=145\times\boxed{}$$
$$145+147+149=\boxed{}\times3$$
$$147+149+151=\boxed{}\times3$$

5

분수의 덧셈

핵심 1 대분수를 가분수로, 가분수를 대분수로 고치기

- 대분수를 가분수로 고치기
  ➡ 분모는 그대로 쓰고, 자연수와 분모의 곱에 분자를 더해서 분자로 씁니다.

$$3\frac{5}{7}=\frac{3\times7+5}{7}=\frac{26}{7}$$

- 가분수를 대분수로 고치기
  ➡ 분모는 그대로 쓰고, 분자를 분모로 나누어 몫은 자연수 부분에, 나머지는 분자에 씁니다.

$$\frac{41}{4} \;\Rightarrow\; 41\div4=10\cdots1 \;\Rightarrow\; 10\frac{1}{4}$$

대분수를 가분수로, 가분수를 대분수로 고쳐도 분모는 변하지 않습니다.

핵심 2 받아올림이 없는 분수의 덧셈

- 진분수의 덧셈은 분모는 그대로 두고, 분자끼리 더합니다.

$$\frac{3}{6}+\frac{2}{6}=\frac{3+2}{6}=\frac{5}{6}$$

- 대분수의 덧셈은 자연수는 자연수끼리, 진분수는 진분수끼리 계산합니다.

$$1\frac{1}{5}+3\frac{2}{5}=(1+3)+\left(\frac{1}{5}+\frac{2}{5}\right)=4+\frac{3}{5}=4\frac{3}{5}$$

핵심 3 받아올림이 있는 분수의 덧셈

- 진분수의 덧셈을 하고, 분수끼리의 합이 가분수이면 대분수로 고칩니다.

$$\frac{4}{5}+\frac{2}{5}=\frac{6}{5}=1\frac{1}{5}$$

- 대분수의 덧셈을 하고, 분수끼리의 합이 가분수이면 대분수로 고칩니다.

$$2\frac{3}{8}+1\frac{7}{8}=3+\frac{10}{8}=3+1\frac{2}{8}=4\frac{2}{8}$$

핵심 1-1 대분수를 가분수로 고치기

대분수를 가분수로 고칠 때에는 분모는 그대로 쓰고, 자연수와 분모의 곱에 분자를 더하여 분자에 씁니다.

$$4\frac{2}{7} = \frac{4\times7+2}{7} = \frac{30}{7}$$

$$\star\frac{\bullet}{\blacksquare} = \frac{\star\times\blacksquare+\bullet}{\blacksquare}$$

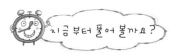

🌸 대분수를 가분수로 고쳐 보시오. (1~22)

1 $1\frac{5}{9} = \frac{1\times9+\square}{9} = \frac{\square}{9}$

2 $3\frac{4}{5} = \frac{3\times5+\square}{5} = \frac{\square}{5}$

3 $5\frac{5}{6} = \frac{5\times\square+\square}{6} = \frac{\square}{\square}$

4 $4\frac{3}{4} = \frac{4\times\square+\square}{4} = \frac{\square}{\square}$

5 $7\frac{2}{3} = \frac{\square\times\square+\square}{3} = \frac{\square}{\square}$

6 $4\frac{4}{7} = \frac{\square\times\square+\square}{7} = \frac{\square}{\square}$

7 $2\frac{3}{8} = \frac{\square\times\square+\square}{\square} = \frac{\square}{\square}$

8 $6\frac{3}{11} = \frac{\square\times\square+\square}{\square} = \frac{\square}{\square}$

9 $2\dfrac{1}{3} =$

10 $3\dfrac{2}{7} =$

11 $3\dfrac{3}{8} =$

12 $6\dfrac{3}{4} =$

13 $5\dfrac{4}{6} =$

14 $4\dfrac{5}{9} =$

15 $7\dfrac{3}{8} =$

16 $9\dfrac{7}{10} =$

17 $3\dfrac{1}{14} =$

18 $2\dfrac{5}{19} =$

19 $5\dfrac{2}{13} =$

20 $4\dfrac{8}{15} =$

21 $6\dfrac{7}{12} =$

22 $7\dfrac{9}{16} =$

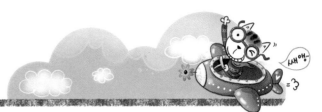

시간	1~6분	6~8분	8~10분	점수A + 점수B	8~10점	5~7점	1~4점
점수 A	5	3	1				
맞은 개수	16~18개	11~15개	1~10개				
점수 B	5	3	1		참 잘했어요	잘했어요	좀더 노력하세요

핵심 1-2 가분수를 대분수로 고치기

가분수를 대분수로 고칠 때에는 분모는 그대로 쓰고, 분자를 분모로 나누어 몫은 자연수 부분에, 나머지는 분자에 씁니다.

$$\frac{57}{6} \Rightarrow 57 \div 6 = 9 \cdots 3 \Rightarrow 9\frac{3}{6}$$

$$\frac{\bullet}{\blacksquare} \Rightarrow \bullet \div \blacksquare = \blacktriangle \cdots \star \Rightarrow \blacktriangle\frac{\star}{\blacksquare}$$

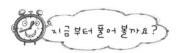 지금부터 풀어 볼까요?

❀ 가분수를 대분수로 고쳐 보시오. (1~18)

1 $\frac{27}{4} \Rightarrow 27 \div \boxed{} = 6 \cdots \boxed{} \Rightarrow \boxed{}\frac{\boxed{}}{4}$

2 $\frac{29}{5} \Rightarrow 29 \div \boxed{} = \boxed{} \cdots \boxed{} \Rightarrow \boxed{}\frac{\boxed{}}{5}$

3 $\frac{44}{7} = 44 \div \boxed{} = \boxed{} \cdots \boxed{} \Rightarrow \boxed{}\frac{\boxed{}}{\boxed{}}$

4 $\frac{94}{11} = \boxed{} \div \boxed{} = \boxed{} \cdots \boxed{} \Rightarrow \boxed{}\frac{\boxed{}}{\boxed{}}$

5 $\dfrac{21}{5} =$

6 $\dfrac{20}{3} =$

7 $\dfrac{29}{4} =$

8 $\dfrac{38}{7} =$

9 $\dfrac{61}{6} =$

10 $\dfrac{75}{4} =$

11 $\dfrac{82}{3} =$

12 $\dfrac{103}{8} =$

13 $\dfrac{114}{9} =$

14 $\dfrac{142}{7} =$

15 $\dfrac{97}{12} =$

16 $\dfrac{84}{13} =$

17 $\dfrac{215}{11} =$

18 $\dfrac{249}{14} =$

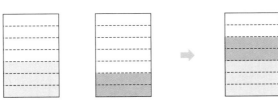 **2-1** 받아올림이 없는 (진분수)＋(진분수)

$$\frac{3}{7}+\frac{2}{7}=\frac{3+2}{7}=\frac{5}{7}$$

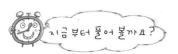 지금 부터 풀어 볼까요?

1 $\dfrac{1}{4}+\dfrac{2}{4}=\dfrac{1+\boxed{}}{4}=\dfrac{\boxed{}}{4}$

2 $\dfrac{2}{5}+\dfrac{2}{5}=\dfrac{\boxed{}+2}{5}=\dfrac{\boxed{}}{5}$

3 $\dfrac{5}{8}+\dfrac{2}{8}=\dfrac{\boxed{}+\boxed{}}{8}=\dfrac{\boxed{}}{8}$

4 $\dfrac{3}{6}+\dfrac{1}{6}=\dfrac{\boxed{}+\boxed{}}{6}=\dfrac{\boxed{}}{6}$

5 $\dfrac{2}{9}+\dfrac{6}{9}=\dfrac{\boxed{}+\boxed{}}{9}=\dfrac{\boxed{}}{\boxed{}}$

6 $\dfrac{2}{10}+\dfrac{7}{10}=\dfrac{\boxed{}+\boxed{}}{10}=\dfrac{\boxed{}}{\boxed{}}$

7 $\dfrac{4}{11}+\dfrac{3}{11}=\dfrac{\boxed{}+\boxed{}}{\boxed{}}=\dfrac{\boxed{}}{\boxed{}}$

8 $\dfrac{9}{18}+\dfrac{6}{18}=\dfrac{\boxed{}+\boxed{}}{\boxed{}}=\dfrac{\boxed{}}{\boxed{}}$

9 $\dfrac{1}{3} + \dfrac{1}{3} =$

10 $\dfrac{1}{5} + \dfrac{3}{5} =$

11 $\dfrac{2}{7} + \dfrac{2}{7} =$

12 $\dfrac{2}{6} + \dfrac{3}{6} =$

13 $\dfrac{5}{9} + \dfrac{3}{9} =$

14 $\dfrac{4}{8} + \dfrac{1}{8} =$

15 $\dfrac{5}{12} + \dfrac{4}{12} =$

16 $\dfrac{7}{13} + \dfrac{4}{13} =$

17 $\dfrac{9}{15} + \dfrac{3}{15} =$

18 $\dfrac{5}{16} + \dfrac{9}{16} =$

19 $\dfrac{11}{14} + \dfrac{2}{14} =$

20 $\dfrac{3}{17} + \dfrac{12}{17} =$

21 $\dfrac{7}{13} + \dfrac{5}{13} =$

22 $\dfrac{8}{19} + \dfrac{6}{19}$

핵심 2-2 받아올림이 없는 (대분수) + (대분수)

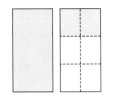 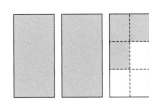 ➡

$$1\frac{2}{6}+2\frac{3}{6}=(1+2)+\left(\frac{2}{6}+\frac{3}{6}\right)=3+\frac{5}{6}=3\frac{5}{6}$$

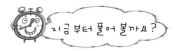 지금부터 풀어 볼까요?

1 $2\dfrac{1}{4}+1\dfrac{2}{4}=(2+\square)+\left(\dfrac{\square}{4}+\dfrac{\square}{4}\right)=\square+\dfrac{\square}{4}=\square\dfrac{\square}{4}$

2 $3\dfrac{2}{6}+2\dfrac{2}{6}=(\square+\square)+\left(\dfrac{\square}{6}+\dfrac{\square}{6}\right)=\square+\dfrac{\square}{6}=\square\dfrac{\square}{6}$

3 $4\dfrac{5}{11}+3\dfrac{3}{11}=(\square+\square)+\left(\dfrac{\square}{\square}+\dfrac{\square}{\square}\right)=\square+\dfrac{\square}{\square}=\square\dfrac{\square}{\square}$

4 $2\dfrac{7}{16}+4\dfrac{6}{16}=(\square+\square)+\left(\dfrac{\square}{\square}+\dfrac{\square}{\square}\right)=\square+\dfrac{\square}{\square}=\square\dfrac{\square}{\square}$

5 $2\dfrac{2}{5}+1\dfrac{1}{5}=$

6 $3\dfrac{3}{7}+4\dfrac{2}{7}=$

7 $2\dfrac{2}{9}+3\dfrac{4}{9}=$

8 $4\dfrac{5}{8}+2\dfrac{1}{8}=$

9 $5\dfrac{1}{10}+4\dfrac{5}{10}=$

10 $3\dfrac{5}{12}+4\dfrac{6}{12}=$

11 $6\dfrac{2}{14}+2\dfrac{9}{14}=$

12 $5\dfrac{4}{13}+3\dfrac{8}{13}=$

13 $3\dfrac{5}{15}+7\dfrac{7}{15}=$

14 $7\dfrac{9}{17}+5\dfrac{4}{17}=$

15 $8\dfrac{9}{19}+6\dfrac{5}{19}=$

16 $5\dfrac{8}{21}+9\dfrac{11}{21}=$

17 $7\dfrac{9}{20}+6\dfrac{9}{20}=$

18 $4\dfrac{7}{24}+6\dfrac{13}{24}=$

핵심 3-1 받아올림이 있는 (진분수) + (진분수)

$$\frac{4}{5} + \frac{3}{5} = \frac{7}{5} = 1\frac{2}{5}$$

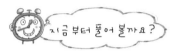 지금부터 풀어 볼까요?

1 $\dfrac{2}{3} + \dfrac{2}{3} = \dfrac{\Box}{3} = \Box\dfrac{\Box}{3}$

2 $\dfrac{3}{4} + \dfrac{2}{4} = \dfrac{\Box}{4} = \Box\dfrac{\Box}{4}$

3 $\dfrac{2}{5} + \dfrac{4}{5} = \dfrac{\Box}{5} = \Box\dfrac{\Box}{\Box}$

4 $\dfrac{3}{6} + \dfrac{5}{6} = \dfrac{\Box}{6} = \Box\dfrac{\Box}{\Box}$

5 $\dfrac{3}{7} + \dfrac{6}{7} = \dfrac{\Box}{\Box} = \Box\dfrac{\Box}{\Box}$

6 $\dfrac{4}{8} + \dfrac{9}{8} = \dfrac{\Box}{\Box} = \Box\dfrac{\Box}{\Box}$

7 $\dfrac{8}{9} + \dfrac{5}{9} = \dfrac{\Box}{\Box} = \Box\dfrac{\Box}{\Box}$

8 $\dfrac{9}{11} + \dfrac{7}{11} = \dfrac{\Box}{\Box} = \Box\dfrac{\Box}{\Box}$

9 $\dfrac{3}{5} + \dfrac{3}{5} =$

10 $\dfrac{4}{7} + \dfrac{5}{7} =$

11 $\dfrac{7}{8} + \dfrac{6}{8} =$

12 $\dfrac{7}{9} + \dfrac{4}{9} =$

13 $\dfrac{7}{10} + \dfrac{9}{10} =$

14 $\dfrac{4}{12} + \dfrac{11}{12} =$

15 $\dfrac{8}{13} + \dfrac{10}{13} =$

16 $\dfrac{9}{14} + \dfrac{12}{14} =$

17 $\dfrac{11}{16} + \dfrac{12}{16} =$

18 $\dfrac{15}{17} + \dfrac{10}{17} =$

19 $\dfrac{19}{21} + \dfrac{15}{21} =$

20 $\dfrac{14}{19} + \dfrac{13}{19} =$

21 $\dfrac{21}{23} + \dfrac{20}{23} =$

22 $\dfrac{24}{25} + \dfrac{19}{25} =$

시간	1~5분	5~7분	7~10분	점수A + 점수B	8~10점	5~7점	1~4점
점수A	5	3	1		참 잘했어요	잘했어요	좀더 노력하세요
맞은 개수	16~18개	11~15개	1~10개				
점수B	5	3	1				

핵심 3-2 받아올림이 있는 (대분수) + (대분수)

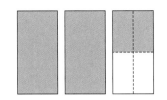 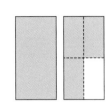  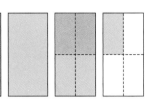

$$2\frac{2}{4} + 1\frac{3}{4} = 3 + \frac{5}{4} = 3 + 1\frac{1}{4} = 4\frac{1}{4}$$

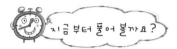

1 $3\dfrac{2}{3} + 2\dfrac{2}{3} = \boxed{} + \dfrac{\boxed{}}{3} = \boxed{} + \boxed{}\dfrac{\boxed{}}{3} = \boxed{}\dfrac{\boxed{}}{3}$

2 $2\dfrac{4}{5} + 4\dfrac{3}{5} = \boxed{} + \dfrac{\boxed{}}{5} = \boxed{} + \boxed{}\dfrac{\boxed{}}{5} = \boxed{}\dfrac{\boxed{}}{\boxed{}}$

3 $1\dfrac{4}{6} + 5\dfrac{5}{6} = \boxed{} + \dfrac{\boxed{}}{6} = \boxed{} + \boxed{\dfrac{}{}} = \boxed{}\dfrac{\boxed{}}{\boxed{}}$

4 $4\dfrac{7}{9} + 3\dfrac{6}{9} = \boxed{} + \dfrac{\boxed{}}{\boxed{}} = \boxed{} + \boxed{\dfrac{}{}} = \boxed{}\dfrac{\boxed{}}{\boxed{}}$

5 $1\dfrac{4}{5}+2\dfrac{2}{5}=$

6 $3\dfrac{5}{6}+2\dfrac{2}{6}=$

7 $2\dfrac{4}{7}+3\dfrac{6}{7}=$

8 $4\dfrac{8}{9}+5\dfrac{5}{9}=$

9 $4\dfrac{7}{8}+7\dfrac{3}{8}=$

10 $7\dfrac{9}{11}+5\dfrac{5}{11}=$

11 $3\dfrac{8}{12}+4\dfrac{11}{12}=$

12 $6\dfrac{5}{10}+7\dfrac{8}{10}=$

13 $9\dfrac{9}{13}+5\dfrac{12}{13}=$

14 $8\dfrac{14}{15}+4\dfrac{9}{15}=$

15 $7\dfrac{17}{19}+8\dfrac{14}{19}=$

16 $4\dfrac{18}{21}+7\dfrac{17}{21}=$

17 $6\dfrac{21}{22}+9\dfrac{20}{22}=$

18 $11\dfrac{16}{25}+7\dfrac{23}{25}=$

시간	1~8분	8~10분	10~12분	12~14분	14~16분	점수 A + 점수 B	9~10점	7~8점	1~6점
점수 A	5	4	3	2	1				
맞은 개수	18~20개	15~17개	12~14개	9~11개	1~8개		참 잘했어요	잘했어요	좀더 노력하세요
점수 B	5	4	3	2	1				

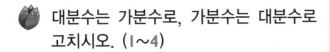 대분수는 가분수로, 가분수는 대분수로 고치시오. (1~4)

1 $4\dfrac{2}{8} = \dfrac{\boxed{} \times \boxed{} + \boxed{}}{\boxed{}} = \dfrac{\boxed{}}{\boxed{}}$

2 $6\dfrac{8}{11} =$

3 $\dfrac{85}{9} \Rightarrow \boxed{} \div \boxed{} = \boxed{} \cdots \boxed{}$

$\Rightarrow \boxed{}\dfrac{\boxed{}}{\boxed{}}$

4 $\dfrac{107}{12} =$

분수의 덧셈을 하시오. (5~20)

5 $\dfrac{4}{7} + \dfrac{2}{7} = \dfrac{\boxed{} + \boxed{}}{\boxed{}} = \dfrac{\boxed{}}{\boxed{}}$

6 $\dfrac{5}{11} + \dfrac{4}{11} = \dfrac{\boxed{} + \boxed{}}{\boxed{}} = \dfrac{\boxed{}}{\boxed{}}$

7 $\dfrac{6}{9} + \dfrac{1}{9} =$

8 $\dfrac{7}{12} + \dfrac{3}{12} =$

9 $3\dfrac{2}{8} + 1\dfrac{5}{8}$

$= (3 + \boxed{}) + \left(\dfrac{\boxed{}}{\boxed{}} + \dfrac{\boxed{}}{\boxed{}}\right)$

$= \boxed{}\dfrac{\boxed{}}{\boxed{}}$

10 $5\dfrac{2}{10} + 2\dfrac{4}{10}$

$= (\boxed{} + \boxed{}) + \left(\dfrac{\boxed{}}{\boxed{}} + \dfrac{\boxed{}}{\boxed{}}\right)$

$= \boxed{}\dfrac{\boxed{}}{\boxed{}}$

11 $3\dfrac{2}{6}+5\dfrac{3}{6}=$

12 $4\dfrac{11}{18}+3\dfrac{5}{18}=$

13 $\dfrac{6}{7}+\dfrac{5}{7}=\dfrac{\boxed{}}{\boxed{}}=\boxed{}\dfrac{\boxed{}}{\boxed{}}$

14 $\dfrac{11}{15}+\dfrac{12}{15}=\dfrac{\boxed{}}{\boxed{}}=\boxed{}\dfrac{\boxed{}}{\boxed{}}$

15 $\dfrac{8}{9}+\dfrac{3}{9}=$

16 $\dfrac{14}{18}+\dfrac{8}{18}=$

17 $5\dfrac{4}{5}+4\dfrac{2}{5}$

$=9+\dfrac{\boxed{}}{5}$

$=\boxed{}+\boxed{}\dfrac{\boxed{}}{\boxed{}}$

$=\boxed{}\dfrac{\boxed{}}{\boxed{}}$

18 $3\dfrac{8}{14}+5\dfrac{12}{14}$

$=\boxed{}+\dfrac{\boxed{}}{14}$

$=\boxed{}+\boxed{}\dfrac{\boxed{}}{\boxed{}}$

$=\boxed{}\dfrac{\boxed{}}{\boxed{}}$

19 $7\dfrac{5}{8}+2\dfrac{7}{8}=$

20 $5\dfrac{19}{23}+2\dfrac{16}{23}=$

6

분수의 뺄셈

핵심 1 받아내림이 없는 분수의 뺄셈

• 받아내림이 없는 (진분수)－(진분수)
  ① 분모는 그대로 씁니다.
  ② 분자는 분자끼리 뺍니다.

$$\frac{7}{9} - \frac{3}{9} = \frac{7-3}{9} = \frac{4}{9}$$

• 받아내림이 없는 (대분수)－(대분수)
  ① 분모는 그대로 씁니다.
  ② 자연수는 자연수끼리, 분자는 분자끼리 계산합니다.

$$3\frac{5}{7} - 1\frac{4}{7} = (3-1) + \left(\frac{5}{7} - \frac{4}{7}\right) = 2 + \frac{1}{7} = 2\frac{1}{7}$$

핵심 2 받아내림이 있는 분수의 뺄셈

• (자연수)－(진분수)
  ① 자연수에서 1만큼 받아내림하여 분수로 고칩니다.
  ② 분모는 그대로 두고, 분자는 분자끼리 계산합니다.

$$4 - \frac{5}{6} = 3\frac{6}{6} - \frac{5}{6} = 3\frac{1}{6}$$

• 받아내림이 있는 (대분수)－(대분수)
  ① 진분수끼리 뺄 수 없을 때에는 자연수 부분에서 1만큼 받아내림하여 분수로 고칩니다.
  ② 자연수는 자연수끼리, 진분수는 진분수끼리 계산합니다.

$$6\frac{2}{11} - 3\frac{7}{11} = 5\frac{13}{11} - 3\frac{7}{11} = 2\frac{6}{11}$$

분수에서 받아내림 할 때, 자연수의 뺄셈에서와 같이 10을 받아내림 하면 안됩니다.

$$6\frac{2}{11} - 3\frac{7}{11}$$
$$= 5\frac{12}{11} - 3\frac{7}{11}$$
$$= 2\frac{5}{11} \ (\times)$$

핵심 1-1 받아내림이 없는 (진분수) − (진분수)

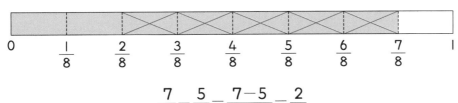

$$\frac{7}{8} - \frac{5}{8} = \frac{7-5}{8} = \frac{2}{8}$$

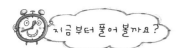 지금부터 풀어 볼까요?

1 $\dfrac{4}{6} - \dfrac{2}{6} = \dfrac{4-\boxed{}}{6} = \dfrac{\boxed{}}{6}$

2 $\dfrac{5}{7} - \dfrac{1}{7} = \dfrac{5-\boxed{}}{7} = \dfrac{\boxed{}}{7}$

3 $\dfrac{8}{9} - \dfrac{3}{9} = \dfrac{\boxed{}-\boxed{}}{9} = \dfrac{\boxed{}}{9}$

4 $\dfrac{7}{10} - \dfrac{4}{10} = \dfrac{\boxed{}-\boxed{}}{10} = \dfrac{\boxed{}}{10}$

5 $\dfrac{6}{11} - \dfrac{5}{11} = \dfrac{\boxed{}-\boxed{}}{11} = \dfrac{\boxed{}}{\boxed{}}$

6 $\dfrac{11}{12} - \dfrac{6}{12} = \dfrac{\boxed{}-\boxed{}}{12} = \dfrac{\boxed{}}{\boxed{}}$

7 $\dfrac{12}{15} - \dfrac{8}{15} = \dfrac{\boxed{}-\boxed{}}{\boxed{}} = \dfrac{\boxed{}}{\boxed{}}$

8 $\dfrac{18}{20} - \dfrac{9}{20} = \dfrac{\boxed{}-\boxed{}}{\boxed{}} = \dfrac{\boxed{}}{\boxed{}}$

9 $\dfrac{3}{4} - \dfrac{1}{4} =$

10 $\dfrac{4}{5} - \dfrac{2}{5} =$

11 $\dfrac{5}{7} - \dfrac{3}{7} =$

12 $\dfrac{4}{8} - \dfrac{3}{8} =$

13 $\dfrac{7}{9} - \dfrac{4}{9} =$

14 $\dfrac{8}{10} - \dfrac{3}{10} =$

15 $\dfrac{9}{13} - \dfrac{7}{13} =$

16 $\dfrac{13}{15} - \dfrac{8}{15} =$

17 $\dfrac{11}{14} - \dfrac{9}{14} =$

18 $\dfrac{15}{17} - \dfrac{6}{17} =$

19 $\dfrac{12}{16} - \dfrac{5}{16} =$

20 $\dfrac{14}{19} - \dfrac{4}{19} =$

21 $\dfrac{19}{21} - \dfrac{11}{21} =$

22 $\dfrac{21}{23} - \dfrac{13}{23} =$

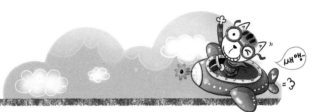

핵심 1-2 받아내림이 없는 (대분수) − (대분수)

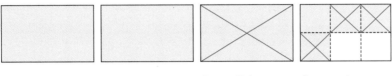

$$3\frac{4}{6} - 1\frac{3}{6} = (3-1) + \left(\frac{4}{6} - \frac{3}{6}\right) = 2 + \frac{1}{6} = 2\frac{1}{6}$$

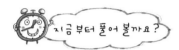

1 $2\frac{3}{4} - 1\frac{1}{4} = (2 - \square) + \left(\dfrac{\square}{4} - \dfrac{\square}{4}\right) = \square + \dfrac{\square}{4} = \square\dfrac{\square}{4}$

2 $4\frac{3}{5} - 2\frac{2}{5} = (\square - \square) + \left(\dfrac{\square}{5} - \dfrac{\square}{5}\right) = \square + \dfrac{\square}{5} = \square\dfrac{\square}{5}$

3 $7\frac{7}{8} - 4\frac{3}{8} = (\square - \square) + \left(\dfrac{\square}{\square} - \dfrac{\square}{\square}\right) = \square + \dfrac{\square}{\square} = \square\dfrac{\square}{\square}$

4 $5\frac{11}{12} - 3\frac{9}{12} = (\square - \square) + \left(\dfrac{\square}{\square} - \dfrac{\square}{\square}\right) = \square + \dfrac{\square}{\square} = \square\dfrac{\square}{\square}$

5 $4\dfrac{5}{6} - 3\dfrac{1}{6} =$

6 $5\dfrac{4}{5} - 2\dfrac{2}{5} =$

7 $3\dfrac{6}{7} - 1\dfrac{4}{7} =$

8 $4\dfrac{8}{9} - 2\dfrac{2}{9} =$

9 $6\dfrac{9}{10} - 4\dfrac{7}{10} =$

10 $7\dfrac{6}{11} - 5\dfrac{4}{11} =$

11 $8\dfrac{9}{13} - 6\dfrac{6}{13} =$

12 $7\dfrac{11}{14} - 3\dfrac{7}{14} =$

13 $10\dfrac{15}{17} - 5\dfrac{8}{17} =$

14 $9\dfrac{14}{18} - 2\dfrac{5}{18} =$

15 $12\dfrac{20}{21} - 4\dfrac{13}{21} =$

16 $14\dfrac{18}{20} - 9\dfrac{8}{20} =$

17 $11\dfrac{19}{22} - 7\dfrac{14}{22} =$

18 $21\dfrac{23}{25} - 16\dfrac{15}{25} =$

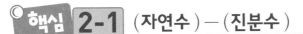

핵심 2-1 (자연수) − (진분수)

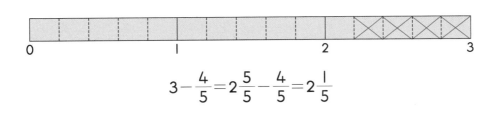

$$3 - \frac{4}{5} = 2\frac{5}{5} - \frac{4}{5} = 2\frac{1}{5}$$

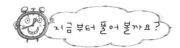

1 $\quad 1 - \frac{2}{4} = \frac{\square}{4} - \frac{2}{4} = \frac{\square}{4}$

2 $\quad 2 - \frac{1}{3} = 1\frac{\square}{3} - \frac{1}{3} = 1\frac{\square}{3}$

3 $\quad 4 - \frac{5}{7} = 3\frac{\square}{\square} - \frac{5}{7} = \square\frac{\square}{\square}$

4 $\quad 3 - \frac{3}{6} = 2\frac{\square}{\square} - \frac{3}{6} = \square\frac{\square}{\square}$

5 $\quad 5 - \frac{7}{9} = \square\frac{\square}{\square} - \frac{7}{9} = \square\frac{\square}{\square}$

6 $\quad 6 - \frac{4}{8} = \square\frac{\square}{\square} - \frac{4}{8} = \square\frac{\square}{\square}$

7 $\quad 9 - \frac{4}{6} = \square\frac{\square}{\square} - \frac{\square}{\square} = \square\frac{\square}{\square}$

8 $\quad 8 - \frac{2}{5} = \square\frac{\square}{\square} - \frac{\square}{\square} = \square\frac{\square}{\square}$

9 $2 - \dfrac{4}{9} =$

10 $5 - \dfrac{5}{7} =$

11 $6 - \dfrac{3}{8} =$

12 $9 - \dfrac{1}{6} =$

13 $7 - \dfrac{4}{5} =$

14 $8 - \dfrac{8}{10} =$

15 $10 - \dfrac{2}{3} =$

16 $11 - \dfrac{7}{9} =$

17 $13 - \dfrac{3}{4} =$

18 $12 - \dfrac{1}{5} =$

19 $15 - \dfrac{3}{6} =$

20 $14 - \dfrac{9}{11} =$

21 $19 - \dfrac{6}{7} =$

22 $20 - \dfrac{11}{12} =$

23 $16 - \dfrac{9}{10} =$

24 $17 - \dfrac{8}{13} =$

25 $18 - \dfrac{4}{8} =$

26 $21 - \dfrac{3}{5} =$

27 $23 - \dfrac{2}{4} =$

28 $22 - \dfrac{5}{6} =$

29 $25 - \dfrac{6}{9} =$

30 $24 - \dfrac{1}{10} =$

31 $28 - \dfrac{1}{3} =$

32 $26 - \dfrac{7}{11} =$

33 $27 - \dfrac{11}{13} =$

34 $30 - \dfrac{8}{12} =$

35 $29 - \dfrac{5}{7} =$

36 $31 - \dfrac{4}{6} =$

시간	1~15분	15~20분	20~25분	점수 A + 점수 B	8~10점	5~7점	1~4점
점수 A	5	3	1				
맞은 개수	28~32개	20~27개	1~19개				
점수 B	5	3	1				

핵심 2-2 받아내림이 있는 (대분수) − (대분수)

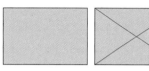

$$4\frac{1}{4} - 2\frac{3}{4} = 3\frac{5}{4} - 2\frac{3}{4} = 1\frac{2}{4}$$

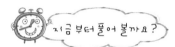

1 $\quad 3\dfrac{1}{3} - 1\dfrac{2}{3} = 2\dfrac{\square}{\square} - 1\dfrac{2}{3} = \square\dfrac{\square}{\square}$

2 $\quad 5\dfrac{3}{7} - 1\dfrac{6}{7} = \square\dfrac{\square}{\square} - 1\dfrac{6}{7} = \square\dfrac{\square}{\square}$

3 $\quad 4\dfrac{2}{9} - 2\dfrac{7}{9} = \square\dfrac{\square}{\square} - \square\dfrac{\square}{\square} = \square\dfrac{\square}{\square}$

4 $\quad 7\dfrac{5}{11} - 3\dfrac{9}{11} = \square\dfrac{\square}{\square} - \square\dfrac{\square}{\square} = \square\dfrac{\square}{\square}$

5 $4\dfrac{1}{3} - 1\dfrac{2}{3} =$

6 $4\dfrac{2}{5} - 2\dfrac{4}{5} =$

7 $6\dfrac{2}{5} - 2\dfrac{3}{5} =$

8 $5\dfrac{2}{6} - 3\dfrac{4}{6} =$

9 $3\dfrac{3}{7} - 1\dfrac{6}{7} =$

10 $8\dfrac{2}{4} - 4\dfrac{3}{4} =$

11 $8\dfrac{1}{6} - 4\dfrac{5}{6} =$

12 $5\dfrac{4}{7} - 2\dfrac{5}{7} =$

13 $7\dfrac{4}{8} - 2\dfrac{7}{8} =$

14 $6\dfrac{1}{5} - 1\dfrac{4}{5} =$

15 $9\dfrac{5}{10} - 5\dfrac{8}{10} =$

16 $4\dfrac{9}{12} - 2\dfrac{11}{12} =$

17 $4\dfrac{2}{9} - 1\dfrac{7}{9} =$

18 $6\dfrac{5}{16} - 3\dfrac{11}{16} =$

19 $5\dfrac{4}{11} - 1\dfrac{9}{11} =$

20 $7\dfrac{6}{13} - 4\dfrac{9}{13} =$

21 $6\dfrac{9}{15} - 2\dfrac{12}{15} =$

22 $8\dfrac{7}{14} - 3\dfrac{10}{14} =$

23 $7\dfrac{6}{12} - 2\dfrac{11}{12} =$

24 $5\dfrac{10}{19} - 3\dfrac{14}{19} =$

25 $9\dfrac{5}{17} - 7\dfrac{16}{17} =$

26 $4\dfrac{11}{18} - 2\dfrac{14}{18} =$

27 $10\dfrac{1}{16} - 3\dfrac{5}{16} =$

28 $11\dfrac{4}{19} - 7\dfrac{7}{19} =$

29 $9\dfrac{3}{18} - 4\dfrac{12}{18} =$

30 $15\dfrac{10}{17} - 14\dfrac{16}{17} =$

31 $13\dfrac{5}{21} - 8\dfrac{9}{21} =$

32 $12\dfrac{11}{20} - 5\dfrac{19}{20} =$

 분수의 뺄셈을 하시오. (1~20)

1 $\dfrac{4}{5} - \dfrac{1}{5} = \dfrac{\square - \square}{\square} = \dfrac{\square}{\square}$

2 $\dfrac{6}{8} - \dfrac{2}{8} =$

3 $\dfrac{7}{11} - \dfrac{4}{11} =$

4 $\dfrac{12}{19} - \dfrac{8}{19} =$

5 $7\dfrac{5}{8} - 2\dfrac{1}{8}$

$= (7 - \square) + \left(\dfrac{\square}{8} - \dfrac{\square}{8} \right)$

$= \square \dfrac{\square}{\square}$

6 $4\dfrac{9}{10} - 2\dfrac{4}{10} =$

7 $5\dfrac{8}{14} - 3\dfrac{3}{14} =$

8 $9\dfrac{13}{20} - 4\dfrac{6}{20} =$

9 $4 - \dfrac{2}{8} = \square\dfrac{\square}{\square} - \dfrac{\square}{\square}$

$= \square\dfrac{\square}{\square}$

10 $6 - \dfrac{9}{11} = \square\dfrac{\square}{\square} - \dfrac{\square}{\square}$

$= \square\dfrac{\square}{\square}$

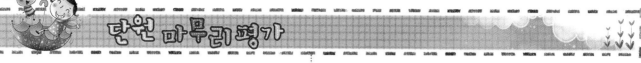
11 $3 - \dfrac{8}{9} =$

12 $7 - \dfrac{5}{12} =$

13 $10 - \dfrac{2}{10} =$

14 $12 - \dfrac{3}{11} =$

15 $5\dfrac{1}{7} - 1\dfrac{6}{7} = 4\dfrac{\square}{\square} - \dfrac{\square}{\square} = \dfrac{\square}{\square}$

16 $6\dfrac{2}{9} - 4\dfrac{8}{9} = 5\dfrac{\square}{\square} - \dfrac{\square}{\square} = \dfrac{\square}{\square}$

17 $4\dfrac{3}{6} - 1\dfrac{5}{6} =$

18 $7\dfrac{3}{11} - 2\dfrac{9}{11} =$

19 $10\dfrac{6}{15} - 9\dfrac{12}{15} =$

20 $8\dfrac{10}{17} - 1\dfrac{14}{17} =$

7

소수의 덧셈

핵심 1 소수 두 자리 수, 소수 세 자리 수

• 분수 $\frac{51}{100}$을 소수로 0.51이라 쓰고, 영 점 오일이라고 읽습니다.

• 분수 $\frac{123}{1000}$을 소수로 0.123이라 쓰고, 영 점 일이삼이라고 읽습니다.

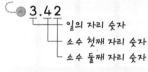

3.42
└ 일의 자리 숫자
└ 소수 첫째 자리 숫자
└ 소수 둘째 자리 숫자

6.578
└ 일의 자리 숫자
└ 소수 첫째 자리 숫자
└ 소수 둘째 자리 숫자
└ 소수 셋째 자리 숫자

핵심 2 소수의 크기 비교, 소수 사이의 관계

• 소수의 크기를 비교할 때에는 자연수 부분, 소수 첫째 자리, 소수 둘째 자리, 소수 셋째 자리, … 순서로 비교합니다.

• 소수 사이의 관계

$$1 \xleftarrow[\frac{1}{10}]{10배} 0.1 \xleftarrow[\frac{1}{10}]{10배} 0.01 \xleftarrow[\frac{1}{10}]{10배} 0.001$$

핵심 3 소수의 덧셈

① 소수점의 자리를 맞추어 씁니다.
② 자연수의 덧셈과 같은 방법으로 계산합니다.
③ 소수점을 그대로 내려서 찍습니다.

$$\begin{array}{r} 0.46 \\ +0.39 \\ \hline \end{array} \Rightarrow \begin{array}{r} 0.46 \\ +0.39 \\ \hline 5 \end{array} \Rightarrow \begin{array}{r} 0.46 \\ +0.39 \\ \hline 85 \end{array} \Rightarrow \begin{array}{r} 0.46 \\ +0.39 \\ \hline 0.85 \end{array}$$

핵심 4 자연수가 있는 소수의 덧셈

소수점 아래 자리 수가 다른 경우에는 소수점 아래 끝자리 뒤에 0이 있는 것으로 생각하고 계산합니다.

$$\begin{array}{r} 3.456 \\ +4.67 \\ \hline \end{array} \Rightarrow \begin{array}{r} 3.456 \\ +4.670 \\ \hline \end{array} \Rightarrow \begin{array}{r} 3.456 \\ +4.670 \\ \hline 8.126 \end{array}$$

소수점을 맞추어 계산하지 않으면 계산 결과가 틀립니다.

$$\begin{array}{r} 3.456 \\ +4.67 \\ \hline 3.923 \end{array} (\times)$$

핵심 1-1 소수 두 자리 수 알아보기

• 소수 두 자리 수

$$\frac{73}{100} = 0.73 \qquad 5\frac{69}{100} = 5.69$$

• 소수 두 자리 수의 자릿값

$$6.18은 \begin{bmatrix} 1이 6개 \\ 0.1이 1개 \\ 0.01이 8개 \end{bmatrix} \qquad \begin{bmatrix} 1이 1개 \\ 0.1이 9개 \\ 0.01이 2개 \end{bmatrix} 이면 1.92$$

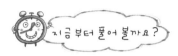

❋ 분수를 소수로 나타내시오. (1~8)

1 $\frac{5}{100} =$

2 $\frac{27}{100} =$

3 $\frac{42}{100} =$

4 $\frac{69}{100} =$

5 $\frac{85}{100} =$

6 $\frac{91}{100} =$

7 $2\frac{53}{100} =$

8 $7\frac{14}{100} =$

9

4.26은
- 1이 [ ]개
- 0.1이 [ ]개
- 0.01이 [ ]개

10

5.93은
- 1이 [ ]개
- 0.1이 [ ]개
- 0.01이 [ ]개

11

3.12는
- 1이 [ ]개
- 0.1이 [ ]개
- 0.01이 [ ]개

12

6.75는
- 1이 [ ]개
- 0.1이 [ ]개
- 0.01이 [ ]개

13

7.51은
- 1이 [ ]개
- 0.1이 [ ]개
- 0.01이 [ ]개

14

9.64는
- 1이 [ ]개
- 0.1이 [ ]개
- 0.01이 [ ]개

15
- 1이 2개
- 0.1이 5개
- 0.01이 3개

이면 [ ]

16
- 1이 4개
- 0.1이 7개
- 0.01이 2개

이면 [ ]

17
- 1이 6개
- 0.1이 2개
- 0.01이 4개

이면 [ ]

18
- 1이 5개
- 0.1이 0개
- 0.01이 7개

이면 [ ]

핵심 1-2 소수 세 자리 수 알아보기

- 소수 세 자리 수

$$\frac{482}{1000} = 0.482 \qquad 2\frac{162}{1000} = 2.162$$

- 소수 세 자리 수의 자릿값

$$4.271 은 \begin{bmatrix} 1 \text{이 } 4개 \\ 0.1 \text{이 } 2개 \\ 0.01 \text{이 } 7개 \\ 0.001 \text{이 } 1개 \end{bmatrix} \qquad \begin{bmatrix} 1 \text{이 } 3개 \\ 0.1 \text{이 } 6개 \\ 0.01 \text{이 } 9개 \\ 0.001 \text{이 } 7개 \end{bmatrix} 이면 3.697$$

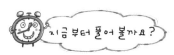

지금부터 풀어 볼까요?

❀ 분수를 소수로 나타내시오. (1~8)

1 $\dfrac{6}{1000} =$

2 $\dfrac{19}{1000} =$

3 $\dfrac{542}{1000} =$

4 $\dfrac{376}{1000} =$

5 $\dfrac{709}{1000} =$

6 $\dfrac{981}{1000} =$

7 $3\dfrac{24}{1000} =$

8 $5\dfrac{789}{1000} =$

9

3.417은
- I이 ☐ 개
- 0.1이 ☐ 개
- 0.01이 ☐ 개
- 0.001이 ☐ 개

10

4.782는
- I이 ☐ 개
- 0.1이 ☐ 개
- 0.01이 ☐ 개
- 0.001이 ☐ 개

11

6.591은
- I이 ☐ 개
- 0.1이 ☐ 개
- 0.01이 ☐ 개
- 0.001이 ☐ 개

12

9.826은
- I이 ☐ 개
- 0.1이 ☐ 개
- 0.01이 ☐ 개
- 0.001이 ☐ 개

13
- I이 I개
- 0.1이 2개
- 0.01이 7개
- 0.001이 3개

이면 ☐

14
- I이 3개
- 0.1이 6개
- 0.01이 8개
- 0.001이 9개

이면 ☐

15
- I이 7개
- 0.1이 2개
- 0.01이 4개
- 0.001이 9개

이면 ☐

16
- I이 8개
- 0.1이 5개
- 0.01이 0개
- 0.001이 4개

이면 ☐

핵심 2-1 소수의 크기 비교하기

· 자연수 부분이 큰 쪽이 더 큰 소수입니다.	$4.356 > 3.751$ $\quad 4>3$
· 자연수 부분이 같을 때에는 소수 첫째 자리 숫자가 큰 쪽이 더 큰 소수입니다.	$1.374 > 1.293$ $\quad 3>2$
· 소수 첫째 자리까지 같을 때에는 소수 둘째 자리 숫자가 큰 쪽이 더 큰 소수입니다.	$2.413 < 2.452$ $\quad 1<5$
· 소수 둘째 자리까지 같을 때에는 소수 셋째 자리 숫자가 큰 쪽이 더 큰 소수입니다.	$5.027 > 5.023$ $\quad 7>3$

지금 부터 풀어 볼까요?

🌸 그림을 보고 ○ 안에 >, <를 알맞게 써넣으시오. (1~3)

1

$0.35 \bigcirc 0.42$

2

$0.58 \bigcirc 0.57$

3

$0.83 \bigcirc 0.79$

두 소수의 크기를 비교하여 ○ 안에 >, <를 알맞게 써넣으시오. (4~19)

4 6.28 ◯ 5.72

5 4.15 ◯ 4.23

6 5.08 ◯ 5.24

7 7.86 ◯ 6.97

8 9.72 ◯ 9.81

9 3.97 ◯ 3.84

10 6.25 ◯ 6.38

11 5.94 ◯ 5.98

12 1.428 ◯ 1.423

13 5.792 ◯ 5.748

14 8.674 ◯ 9.012

15 4.142 ◯ 4.141

16 8.247 ◯ 8.259

17 7.642 ◯ 7.715

18 9.125 ◯ 9.098

19 6.297 ◯ 6.301

핵심 2-2 소수 사이의 관계

어떤 소수의 10배는 소수점이 오른쪽으로 한 자리 이동하고, 어떤 소수의 $\frac{1}{10}$ 은 소수점이 왼쪽으로 한 자리 이동합니다.

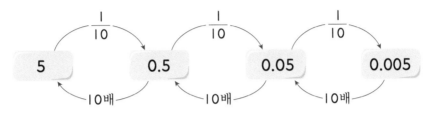

🕐 지금 부터 풀어 볼까요?

🌸 빈 곳에 알맞은 수를 써넣으시오. (1~4)

1

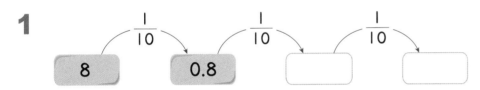

2

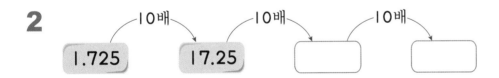

3

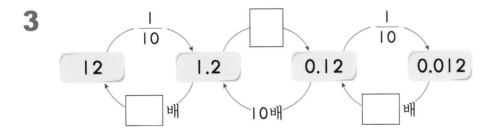

4

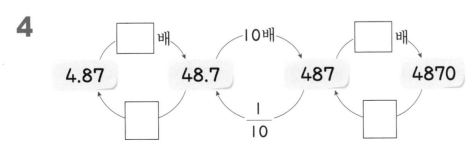

❋ □ 안에 알맞은 수를 써넣으시오. (5～12)

5 0.34의 10배는 □ 이고, 0.34의 100배는 □ 입니다.

6 1.87의 10배는 □ 이고, 1.87의 100배는 □ 입니다.

7 3.257의 10배는 □ 이고, 3.257의 100배는 □ 입니다.

8 4.692의 100배는 □ 이고, 4.692의 1000배는 □ 입니다.

9 249의 $\frac{1}{10}$ 은 □ 이고, 249의 $\frac{1}{100}$ 은 □ 입니다.

10 46.5의 $\frac{1}{10}$ 은 □ 이고, 46.5의 $\frac{1}{100}$ 은 □ 입니다.

11 1375의 $\frac{1}{100}$ 은 □ 이고, 1375의 $\frac{1}{1000}$ 은 □ 입니다.

12 876.2의 $\frac{1}{10}$ 은 □ 이고, 876.2의 $\frac{1}{100}$ 은 □ 입니다.

핵심 3-1 소수 한 자리 수의 덧셈

$$
\begin{array}{r} 0.5 \\ +\,0.6 \\ \hline \end{array}
\Rightarrow
\begin{array}{r} 0.5 \\ +\,0.6 \\ \hline \end{array}
\Rightarrow
\begin{array}{r} 0.5 \\ +\,0.6 \\ \hline 1 \end{array}
\Rightarrow
\begin{array}{r} 0.5 \\ +\,0.6 \\ \hline 1.1 \end{array}
$$

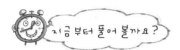 지금부터 풀어 볼까요?

1
$$
\begin{array}{r} 0.4 \\ +\,0.3 \\ \hline \end{array}
$$

2
$$
\begin{array}{r} 0.5 \\ +\,0.2 \\ \hline \end{array}
$$

3
$$
\begin{array}{r} 0.2 \\ +\,0.6 \\ \hline \end{array}
$$

4
$$
\begin{array}{r} 0.3 \\ +\,0.5 \\ \hline \end{array}
$$

5
$$
\begin{array}{r} 0.5 \\ +\,0.7 \\ \hline \end{array}
$$

6
$$
\begin{array}{r} 0.8 \\ +\,0.4 \\ \hline \end{array}
$$

7
$$
\begin{array}{r} 0.7 \\ +\,0.6 \\ \hline \end{array}
$$

8
$$
\begin{array}{r} 0.4 \\ +\,0.9 \\ \hline \end{array}
$$

9 0.4+0.2=

10 0.2+0.5=

11 0.3+0.4=

12 0.8+0.1=

13 0.6+0.6=

14 0.4+0.8=

15 0.5+0.9=

16 0.3+0.9=

17 0.4+0.7=

18 0.9+0.8=

19 0.8+0.8=

20 0.6+0.9=

21 0.5+0.8=

22 0.9+0.2=

23 0.7+0.5=

24 0.9+0.9=

핵심 3-2 소수 두 자리 수의 덧셈

$$
\begin{array}{r} 0.57 \\ +0.34 \\ \hline \end{array}
\Rightarrow
\begin{array}{r} 0.57 \\ +0.34 \\ \hline 1 \end{array}
\Rightarrow
\begin{array}{r} 0.57 \\ +0.34 \\ \hline 91 \end{array}
\Rightarrow
\begin{array}{r} {}^{1}0.57 \\ +0.34 \\ \hline 0.91 \end{array}
$$

지금 부터 풀어 볼까요?

1
$$\begin{array}{r} 0.14 \\ +0.45 \\ \hline \end{array}$$

2
$$\begin{array}{r} 0.23 \\ +0.66 \\ \hline \end{array}$$

3
$$\begin{array}{r} 0.49 \\ +0.37 \\ \hline \end{array}$$

4
$$\begin{array}{r} 0.58 \\ +0.24 \\ \hline \end{array}$$

5
$$\begin{array}{r} 0.65 \\ +0.68 \\ \hline \end{array}$$

6
$$\begin{array}{r} 0.37 \\ +0.85 \\ \hline \end{array}$$

7
$$\begin{array}{r} 0.49 \\ +0.67 \\ \hline \end{array}$$

8
$$\begin{array}{r} 0.83 \\ +0.98 \\ \hline \end{array}$$

9 0.25＋0.63＝

10 0.37＋0.41＝

11 0.13＋0.82＝

12 0.44＋0.35＝

13 0.76＋0.09＝

14 0.48＋0.15＝

15 0.69＋0.27＝

16 0.35＋0.38＝

17 0.54＋0.67＝

18 0.75＋0.46＝

19 0.38＋0.73＝

20 0.59＋0.72＝

21 0.85＋0.45＝

22 0.76＋0.59＝

23 0.92＋0.39＝

24 0.64＋0.46＝

핵심 4-1 자연수가 있고 자릿수가 같은 소수의 덧셈

$$
\begin{array}{r} 2.45 \\ +4.38 \\ \hline \end{array}
\Rightarrow
\begin{array}{r} 2.45 \\ +4.38 \\ \hline 3 \end{array}
\Rightarrow
\begin{array}{r} 2.45 \\ +4.38 \\ \hline 83 \end{array}
\Rightarrow
\begin{array}{r} 2.45 \\ +4.38 \\ \hline 6.83 \end{array}
$$

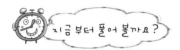 지금부터 풀어 볼까요?

1
$$
\begin{array}{r} 3.59 \\ +0.38 \\ \hline \end{array}
$$

2
$$
\begin{array}{r} 5.17 \\ +2.45 \\ \hline \end{array}
$$

3
$$
\begin{array}{r} 4.58 \\ +2.74 \\ \hline \end{array}
$$

4
$$
\begin{array}{r} 6.76 \\ +3.49 \\ \hline \end{array}
$$

5 2.35＋5.56＝

6 3.64＋3.29＝

7 5.86＋1.77＝

8 4.96＋3.74＝

9 6.47＋8.96＝

10 7.38＋4.95＝

핵심 4-2 자연수가 있고 자릿수가 다른 소수의 덧셈

$$
\begin{array}{r} 4.9 \\ +\ 2.71 \\ \hline \end{array}
\rightarrow
\begin{array}{r} 4.9\,0 \\ +\ 2.7\,1 \\ \hline \ \ \ 1 \end{array}
\rightarrow
\begin{array}{r} 4.9\,0 \\ +\ 2.71 \\ \hline \ \ 6\,1 \end{array}
\rightarrow
\begin{array}{r} 4.9\,0 \\ +\ 2.71 \\ \hline 7.6\,1 \end{array}
$$

지금부터 풀어 볼까요?

1
$$
\begin{array}{r} 0.79 \\ +\ 7.4 \\ \hline \end{array}
$$

2
$$
\begin{array}{r} 2.56 \\ +\ 5.9 \\ \hline \end{array}
$$

3
$$
\begin{array}{r} 2.4 \\ +\ 5.39 \\ \hline \end{array}
$$

4
$$
\begin{array}{r} 4.9 \\ +\ 3.72 \\ \hline \end{array}
$$

5
$$
\begin{array}{r} 5.521 \\ +\ 1.64 \\ \hline \end{array}
$$

6
$$
\begin{array}{r} 2.675 \\ +\ 4.15 \\ \hline \end{array}
$$

7
$$
\begin{array}{r} 3.827 \\ +\ 2.39 \\ \hline \end{array}
$$

8
$$
\begin{array}{r} 8.943 \\ +\ 2.17 \\ \hline \end{array}
$$

9
```
   1.749
 + 7.86
```

10
```
   3.582
 + 5.63
```

11
```
   0.45
 + 4.732
```

12
```
   2.63
 + 5.275
```

13
```
   4.94
 + 3.671
```

14
```
   7.27
 + 1.956
```

15
```
   11.52
 +  2.394
```

16
```
   7.87
 + 12.593
```

17
```
   2.789
 + 5.6
```

18
```
   13.456
 +  6.8
```

19
```
   2.4
 + 6.961
```

20
```
   4.9
 + 15.486
```

21 7.52+1.8=

22 5.73+6.9=

23 4.6+3.71=

24 9.4+0.83=

25 2.358+5.57=

26 6.569+2.84=

27 7.542+4.67=

28 10.927+8.19=

29 3.76+5.149=

30 4.84+2.306=

31 9.82+6.794=

32 9.35+10.952=

33 5.874+7.9=

34 13.651+8.78=

35 2.5+7.523=

36 4.6+15.708=

시간	1~6분	6~8분	8~10분	10~12분	12~15분	점수 A + 점수 B	9~10점	7~8점	1~6점
점수 A	5	4	3	2	1				
맞은 개수	18~20개	15~17개	12~14개	9~11개	1~8개		참 잘했어요	잘했어요	좀더 노력하세요
점수 B	5	4	3	2	1				

🌷 분수를 소수로 나타내시오. (1~2)

1 $\dfrac{35}{100} =$

2 $9\dfrac{617}{1000} =$

🌷 □ 안에 알맞은 수를 써넣으시오. (3~4)

3 3.75는
- 1이 □ 개
- 0.1이 □ 개
- 0.01이 □ 개

4
- 1이 6개
- 0.1이 8개
- 0.01이 4개
- 0.001이 7개

이면 □

🌷 ○ 안에 >, <를 알맞게 써넣으시오. (5~6)

5 6.28 ○ 6.19

6 11.472 ○ 12.04

🌷 빈 곳에 알맞은 수를 써넣으시오. (7~8)

7
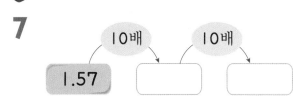

8
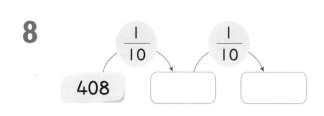

🌷 소수의 덧셈을 하시오. (9~20)

9
$$\begin{array}{r} 0.7 \\ + 0.8 \\ \hline \end{array}$$

10 0.2+0.4=

11 0.6+0.5=

12 $\begin{array}{r} 0.59 \\ +0.83 \\ \hline \end{array}$

13 0.34+0.52=

14 0.61+0.49=

15 $\begin{array}{r} 4.61 \\ +3.85 \\ \hline \end{array}$

16 1.62+7.59=

17 5.48+9.76=

18 $\begin{array}{r} 5.67 \\ +3.9 \\ \hline \end{array}$

19 9.6+0.47=

20 10.374+5.84=

8

소수의 뺄셈

핵심 1 소수의 뺄셈

① 소수점의 자리를 맞추어 씁니다.

② 자연수의 뺄셈과 같은 방법으로 계산합니다.

③ 소수점을 그대로 내려서 찍습니다.

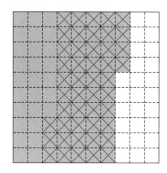

$$0.74 - 0.47 = 0.27$$

$$
\begin{array}{r} 0.74 \\ -\,0.47 \\ \hline \end{array}
\Rightarrow
\begin{array}{r} 0.7\overset{6\ 10}{4} \\ -\,0.47 \\ \hline 7 \end{array}
\Rightarrow
\begin{array}{r} 0.\overset{6\ 10}{7}4 \\ -\,0.47 \\ \hline 27 \end{array}
\Rightarrow
\begin{array}{r} 0.\overset{6\ 10}{7}4 \\ -\,0.47 \\ \hline 0.27 \end{array}
$$

소수의 뺄셈 결과를 쓸 때, 소수점 앞에 있는 0은 생략하면 안됩니다.

$$
\begin{array}{r} \overset{0\ 10}{\cancel{1}}.2 \\ -\,0.5 \\ \hline 7 \end{array}
\qquad
\begin{array}{r} \overset{0\ 10}{\cancel{1}}.2 \\ -\,0.5 \\ \hline 0.7 \end{array}
$$

$(\times)$ $\qquad$ $(\circ)$

핵심 2 자연수가 있는 소수의 뺄셈

① 소수점의 자리를 맞추어 씁니다.

② 소수점 아래의 자리 수가 다른 경우에는 소수점 아래 끝자리 뒤에 0이 있는 것으로 생각하고 계산합니다.

③ 소수점을 그대로 내려서 찍습니다.

$$
\begin{array}{r} 5.615 \\ -\,3.39 \\ \hline \end{array}
\Rightarrow
\begin{array}{r} 5.615 \\ -\,3.390 \\ \hline 5 \end{array}
\Rightarrow
\begin{array}{r} 5.6\overset{5\ 10}{1}5 \\ -\,3.390 \\ \hline 25 \end{array}
\Rightarrow
\begin{array}{r} 5.6\overset{5\ 10}{1}5 \\ -\,3.390 \\ \hline 2.225 \end{array}
$$

소수점을 맞추어 계산하지 않으면 계산 결과가 틀립니다.

$$
\begin{array}{r} 5.6\overset{5\ 10\ 10}{\cancel{1}}5 \\ -\,3.39 \\ \hline 5.276 \end{array}
$$

$(\times)$

핵심 1-1 소수 한 자리 수의 뺄셈

$$
\begin{array}{r} 1.3 \\ -0.6 \\ \hline \end{array}
\Rightarrow
\begin{array}{r} \overset{0}{\cancel{1}}.\overset{10}{3} \\ -0.6 \\ \hline 7 \end{array}
\Rightarrow
\begin{array}{r} \overset{0}{\cancel{1}}.\overset{10}{3} \\ -0.6 \\ \hline 0.7 \end{array}
$$

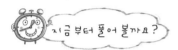 지금부터 풀어 볼까요?

1
$$\begin{array}{r} 0.8 \\ -0.5 \\ \hline \end{array}$$

2
$$\begin{array}{r} 0.5 \\ -0.1 \\ \hline \end{array}$$

3
$$\begin{array}{r} 0.7 \\ -0.4 \\ \hline \end{array}$$

4
$$\begin{array}{r} 0.9 \\ -0.2 \\ \hline \end{array}$$

5
$$\begin{array}{r} 1.1 \\ -0.3 \\ \hline \end{array}$$

6
$$\begin{array}{r} 1.5 \\ -0.9 \\ \hline \end{array}$$

7
$$\begin{array}{r} 1.3 \\ -0.7 \\ \hline \end{array}$$

8
$$\begin{array}{r} 1 \\ -0.6 \\ \hline \end{array}$$

9 $0.4 - 0.1 =$

10 $0.6 - 0.3 =$

11 $0.7 - 0.5 =$

12 $0.8 - 0.7 =$

13 $0.9 - 0.4 =$

14 $0.5 - 0.2 =$

15 $1.2 - 0.8 =$

16 $1.4 - 0.7 =$

17 $1.1 - 0.9 =$

18 $1.7 - 0.8 =$

19 $1.6 - 0.8 =$

20 $1.3 - 0.5 =$

21 $1.5 - 0.6 =$

22 $1.2 - 0.3 =$

23 $1.4 - 0.9 =$

24 $1.8 - 0.9 =$

핵심 1-2 소수 두 자리 수의 뺄셈

```
  0 . 5 4        0 . 5⁴ 4̸        0 . ⁴5̸ 4        ⁴0̸ . 5̸ 4
- 0 . 2 8   ➡   - 0 . 2 ⁸8   ➡   - 0 . 2 8   ➡   - 0 . 2 8
                        6              2 6          0 . 2 6
```

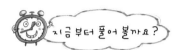 지금부터 풀어 볼까요?

1
```
  0 . 8 5
- 0 . 2 1
```

2
```
  0 . 7 6
- 0 . 6 2
```

3
```
  0 . 4 5
- 0 . 3 9
```

4
```
  0 . 6 4
- 0 . 1 8
```

5
```
  0 . 3 2
- 0 . 2 9
```

6
```
  0 . 5 1
- 0 . 1 7
```

7
```
  1 . 6 5
- 0 . 8 4
```

8
```
  1 . 4 3
- 0 . 7 8
```

9 $0.57-0.23=$

10 $0.68-0.16=$

11 $0.85-0.54=$

12 $0.96-0.74=$

13 $0.63-0.34=$

14 $0.45-0.29=$

15 $0.57-0.18=$

16 $0.64-0.17=$

17 $0.72-0.45=$

18 $0.86-0.38=$

19 $0.62-0.56=$

20 $0.71-0.25=$

21 $0.43-0.18=$

22 $0.82-0.26=$

23 $1.27-0.95=$

24 $1.87-0.99=$

핵심 2-1 자연수가 있고 자릿수가 같은 소수의 뺄셈

$$
\begin{array}{r} 4.71 \\ -1.53 \\ \hline \end{array}
\Rightarrow
\begin{array}{r} {}^{6}4.7{}^{10}1 \\ -1.53 \\ \hline 8 \end{array}
\Rightarrow
\begin{array}{r} {}^{6}4.{}^{10}71 \\ -1.53 \\ \hline 18 \end{array}
\Rightarrow
\begin{array}{r} {}^{6}4.{}^{10}71 \\ -1.53 \\ \hline 3.18 \end{array}
$$

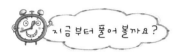 지금 부터 풀어 볼까요?

1
$$\begin{array}{r} 5.42 \\ -3.27 \\ \hline \end{array}$$

2
$$\begin{array}{r} 7.38 \\ -4.95 \\ \hline \end{array}$$

3
$$\begin{array}{r} 6.13 \\ -2.95 \\ \hline \end{array}$$

4
$$\begin{array}{r} 8.25 \\ -5.56 \\ \hline \end{array}$$

5 $3.95 - 1.79 =$

6 $5.64 - 2.28 =$

7 $7.43 - 5.57 =$

8 $8.71 - 3.82 =$

9 $6.12 - 1.53 =$

10 $9.56 - 4.99 =$

핵심 2-2 자연수가 있고 자릿수가 다른 소수의 뺄셈

$$
\begin{array}{r} 3.52 \\ -2.364 \\ \hline \end{array}
\Rightarrow
\begin{array}{r} 3.520 \\ -2.364 \\ \hline 6 \end{array}
\Rightarrow
\begin{array}{r} 3.520 \\ -2.364 \\ \hline 56 \end{array}
\Rightarrow
\begin{array}{r} 3.520 \\ -2.364 \\ \hline 1.156 \end{array}
$$

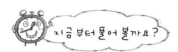 지금부터 풀어 볼까요?

1
$$\begin{array}{r} 4.78 \\ -2.5 \\ \hline \end{array}$$

2
$$\begin{array}{r} 5.14 \\ -3.9 \\ \hline \end{array}$$

3
$$\begin{array}{r} 6.2 \\ -1.65 \\ \hline \end{array}$$

4
$$\begin{array}{r} 3.4 \\ -1.87 \\ \hline \end{array}$$

5
$$\begin{array}{r} 5.756 \\ -1.45 \\ \hline \end{array}$$

6
$$\begin{array}{r} 6.253 \\ -3.17 \\ \hline \end{array}$$

7
$$\begin{array}{r} 7.172 \\ -2.54 \\ \hline \end{array}$$

8
$$\begin{array}{r} 4.399 \\ -1.83 \\ \hline \end{array}$$

9
8.725
− 4.96

10
7.561
− 3.78

11
3.49
− 1.268

12
5.75
− 2.439

13
6.45
− 3.175

14
8.73
− 1.942

15
7.13
− 4.351

16
9.33
− 6.784

17
8.352
− 5.7

18
6.429
− 3.8

19
5.9
− 1.357

20
9.8
− 6.723

21 $6.54 - 1.2 =$

22 $7.25 - 4.3 =$

23 $4.2 - 2.71 =$

24 $5.7 - 3.98 =$

25 $4.251 - 1.14 =$

26 $6.753 - 3.49 =$

27 $7.126 - 5.98 =$

28 $5.428 - 2.65 =$

29 $4.79 - 1.542 =$

30 $7.54 - 3.171 =$

31 $8.32 - 4.573 =$

32 $6.54 - 2.965 =$

33 $7.542 - 3.6 =$

34 $8.413 - 4.7 =$

35 $5.4 - 1.258 =$

36 $6.1 - 2.785 =$

 소수의 뺄셈을 하시오. (1~20)

1
```
   0 . 6
 - 0 . 2
```

2
```
   1 . 2
 - 0 . 4
```

3 0.9 - 0.3 =

4 1.4 - 0.6 =

5 1.5 - 0.7 =

6
```
   0 . 7 9
 - 0 . 4 5
```

7
```
   0 . 5 2
 - 0 . 3 7
```

8 0.47 - 0.38 =

9 0.64 - 0.27 =

10 1.45 - 0.79 =

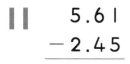

11
$$\begin{array}{r} 5.61 \\ -2.45 \\ \hline \end{array}$$

16
$$\begin{array}{r} 7.321 \\ -2.59 \\ \hline \end{array}$$

12
$$\begin{array}{r} 4.24 \\ -1.48 \\ \hline \end{array}$$

17 5.14−1.9=

13 6.11−2.04=

18 7.15−3.492=

14 7.23−3.89=

19 6.284−2.9=

15
$$\begin{array}{r} 3.4 \\ -1.35 \\ \hline \end{array}$$

20 9.4−5.861=

Memo

꼭 ✓ 알아야 할

수와 연산

4 학년이 꼭 ✓ 알아야 한

수의 연산

정답과 풀이

(주)에듀왕

www.왕수학.com

정답

1 큰 수

핵심 1-1
7~8쪽

1 24376 **2** 84157

3 13578 **4** 47289

5 52173 **6** 69128

7 1, 10000, 3, 3000, 5, 500, 8, 80, 4, 4

8 4, 40000, 6, 6000, 0, 0, 5, 50, 7, 7

9 2, 3, 1, 8, 5 **10** 3, 2, 6, 5, 7

11 7, 0, 5, 2, 3 **12** 8, 9, 2, 0, 4

핵심 1-2
9~10쪽

1 200000, 20만, 이십만

2 5000000, 500만, 오백만

3 80000000, 8000만, 팔천만

4 678, 5418 **5** 7042, 601

6 8050, 69

7 천만, 20000000, 백만, 8000000, 십만, 300000

8 천만, 30000000, 백만, 2000000, 십만, 900000

9 4, 40000000, 2, 2000000, 8, 800000

10 8, 80000000, 6, 6000000, 3, 300000

핵심 2
11~12쪽

1 1000000000, 10억, 십억

2 10000000000, 100억, 백억

3 100000000000, 1000억, 천억

4 484, 7610 **5** 9008, 64

6 천억, 200000000000, 백억, 60000000000, 십억, 7000000000

7 천억, 500000000000, 백억, 20000000000, 십억, 6000000000

8 6, 600000000000, 9, 90000000000, 1, 1000000000

9 9, 900000000000, 3, 30000000000, 7, 7000000000

핵심 3
13~14쪽

1 10000000000000, 10조, 십조

2 100000000000000, 100조, 백조

3 1000000000000000, 1000조, 천조

4 6390, 5271 **5** 7011, 3722

6 천조, 3000000000000000, 백조, 600000000000000, 십조, 80000000000000

7 천조, 6000000000000000, 백조, 300000000000000, 십조, 20000000000000

8 7, 7000000000000000, 1, 100000000000000, 5, 50000000000000

9 8, 8000000000000000, 2, 200000000000000, 9, 90000000000000

핵심 4-1
15~16쪽

1 150000, 160000

2 360000, 380000

3 1490000, 1510000

4 6240000, 6250000

5 257억, 258억 **6** 784억, 785억

7 1279억, 1281억

8 126조, 127조 **9** 644조, 645조

10 1580조, 1582조

11 9700억, 1조

12 2860억, 2880억

7 9, 90000000 **8** 7, 7000000

9 100, 3542 **10** 3620, 1457

11 6, 60000000000

12 5, 5000000000

13 2245, 3698 **14** 5143, 786

15 7, 700000000000000

16 3, 30000000000000

17 117만, 118만, 119만

18 29조, 30조, 31조

19 < **20** >

핵심 4-2
17~18쪽

1 >, > **2** <, <

3 < **4** >

5 <, < **6** >, >

7 < **8** >

9 > **10** >

11 > **12** <

13 > **14** >

15 < **16** >

17 < **18** >

19 <

단원 마무리평가
19~20쪽

1 58127 **2** 71304

3 6, 9, 5, 1, 2 **4** 135, 7246

5 5640, 2900 **6** 4, 40000

2 곱셈

핵심 1
23쪽

1 500, 5000, 50000

2 700, 7000, 70000

3 1400, 14000, 140000

4 8900, 89000, 890000

5 61700, 617000, 6170000

6 83500, 835000, 8350000

핵심 2-1
24~25쪽

1 14, 14 **2** 20, 20

3 45, 45 **4** 24, 24

5 28, 28 **6** 15, 15

7 48, 48 **8** 49, 49

9 10000 **10** 12000

11 35000 **12** 18000
13 270000 **14** 160000
15 420000 **16** 720000
17 810000 **18** 2500000
19 3200000 **20** 2100000
21 6400000 **22** 3600000

핵심 **2-4** 30~31쪽

1 20, 304, 3040, 3344
2 4, 788, 1970, 2758
3 30, 1056, 7920, 8976
4 7, 2555, 7300, 9855
5 40, 1863, 24840, 26703
6 5, 3520, 14080, 17600
7 7530 **8** 5136
9 5616 **10** 8992
11 9765 **12** 4059
13 19108 **14** 17526
15 21250 **16** 24867
17 53046 **18** 24480
19 27783 **20** 50550

핵심 **2-2** 26~27쪽

1 9350 **2** 8790
3 6300 **4** 23220
5 14480 **6** 38080
7 8340 **8** 8310
9 13050 **10** 14480
11 27720 **12** 33440
13 11840 **14** 40080
15 62730 **16** 22530
17 30520 **18** 57190
19 41900 **20** 36320

핵심 **3** 32~34쪽

1 30, 210, 210 **2** 36, 432, 432
3 324, 648, 648
4 252, 3780, 3780
5 195, 1560, 1560
6 102, 5304, 5304
7 336 **8** 96
9 144 **10** 240
11 126 **12** 105
13 288 **14** 1155
15 3640 **16** 420
17 228 **18** 2412
19 2025 **20** 2432
21 420 **22** 1296
23 728 **24** 3096
25 960 **26** 1764

핵심 **2-3** 28~29쪽

1 9089 **2** 15394
3 13104 **4** 18352
5 16032 **6** 35532
7 28497 **8** 34237
9 18612 **10** 50920
11 34026 **12** 56619
13 19630 **14** 25017
15 77074 **16** 80261

27 2208		**28** 3834	
29 9675		**30** 4662	
31 24140		**32** 18228	
33 6804		**34** 12008	

단원 마무리평가
35~36쪽

1 3700		**2** 607000	
3 35, 35		**4** 180000	
5 7200000		**6** 42960	
7 18810		**8** 46350	
9 32400		**10** 56630	
11 11907		**12** 68255	
13 81732		**14** 7450	
15 21945		**16** 31668	
17 45, 585, 585		**18** 217, 868, 868	
19 20304		**20** 20160	

3 나눗셈

핵심 1-1
39쪽

1 2, 2		**2** 3, 3	
3 3, 3		**4** 2, 2	
5 5, 5		**6** 3, 3	
7 9, 9		**8** 9, 9	

핵심 1-2
40~41쪽

1 몫 : 7, 나머지 : 18,
검산 : $20 \times 7 + 18 = 158$

2 몫 : 8, 나머지 : 19,
검산 : $20 \times 8 + 19 = 179$

3 몫 : 5, 나머지 : 17,
검산 : $30 \times 5 + 17 = 167$

4 몫 : 6, 나머지 : 28,
검산 : $30 \times 6 + 28 = 208$

5 몫 : 5, 나머지 : 16,
검산 : $40 \times 5 + 16 = 216$

6 몫 : 9, 나머지 : 32,
검산 : $40 \times 9 + 32 = 392$

7 몫 : 2, 나머지 : 25,
검산 : $50 \times 2 + 25 = 125$

8 몫 : 8, 나머지 : 36,
검산 : $50 \times 8 + 36 = 436$

9 몫 : 6, 나머지 : 22,
검산 : $60 \times 6 + 22 = 382$

10 몫 : 9, 나머지 : 33,
검산 : $60 \times 9 + 33 = 573$

11 몫 : 5, 나머지 : 56,
검산 : $70 \times 5 + 56 = 406$

12 몫 : 9, 나머지 : 68,
검산 : $70 \times 9 + 68 = 698$

13 몫 : 4, 나머지 : 1,
검산 : $80 \times 4 + 1 = 321$

14 몫 : 9, 나머지 : 72,
검산 : $80 \times 9 + 72 = 792$

15 몫 : 5, 나머지 : 81,
검산 : $90 \times 5 + 81 = 531$

16 몫 : 8, 나머지 : 87,
검산 : $90 \times 8 + 87 = 807$

1 몫 : 3, 나머지 : 3,
　검산 : $12 \times 3 + 3 = 39$

2 몫 : 3, 나머지 : 4,
　검산 : $21 \times 3 + 4 = 67$

3 몫 : 3, 나머지 : 8,
　검산 : $25 \times 3 + 8 = 83$

4 몫 : 2, 나머지 : 3,
　검산 : $32 \times 2 + 3 = 67$

5 몫 : 2, 나머지 : 27,
　검산 : $35 \times 2 + 27 = 97$

6 몫 : 2, 나머지 : 5,
　검산 : $42 \times 2 + 5 = 89$

7 몫 : 2, 나머지 : 10,
　검산 : $43 \times 2 + 10 = 96$

8 몫 : 2, 나머지 : 4,
　검산 : $44 \times 2 + 4 = 92$

9 몫 : 2, 나머지 : 7,
　검산 : $28 \times 2 + 7 = 63$

10 몫 : 2, 나머지 : 9,
　검산 : $37 \times 2 + 9 = 83$

11 몫 : 2, 나머지 : 13,
　검산 : $39 \times 2 + 13 = 91$

12 몫 : 2, 나머지 : 3,
　검산 : $48 \times 2 + 3 = 99$

13 몫 : 3, 나머지 : 7,
　검산 : $29 \times 3 + 7 = 94$

14 몫 : 4, 나머지 : 1,
　검산 : $14 \times 4 + 1 = 57$

15 몫 : 4, 나머지 : 13,
　검산 : $17 \times 4 + 13 = 81$

16 몫 : 4, 나머지 : 11,
　검산 : $19 \times 4 + 11 = 87$

1 몫 : 5, 나머지 : 25,
　검산 : $52 \times 5 + 25 = 285$

2 몫 : 4, 나머지 : 49,
　검산 : $61 \times 4 + 49 = 293$

3 몫 : 5, 나머지 : 2,
　검산 : $63 \times 5 + 2 = 317$

4 몫 : 7, 나머지 : 70,
　검산 : $81 \times 7 + 70 = 637$

5 몫 : 6, 나머지 : 44,
　검산 : $55 \times 6 + 44 = 374$

6 몫 : 6, 나머지 : 22,
　검산 : $57 \times 6 + 22 = 364$

7 몫 : 7, 나머지 : 3,
　검산 : $58 \times 7 + 3 = 409$

8 몫 : 7, 나머지 : 20,
　검산 : $66 \times 7 + 20 = 482$

9 몫 : 9, 나머지 : 6,
　검산 : $69 \times 9 + 6 = 627$

10 몫 : 7, 나머지 : 65,
　검산 : $74 \times 7 + 65 = 583$

11 몫 : 8, 나머지 : 9,
　검산 : $75 \times 8 + 9 = 609$

12 몫 : 8, 나머지 : 75,
　검산 : $76 \times 8 + 75 = 683$

13 몫 : 9, 나머지 : 67,
　검산 : $78 \times 9 + 67 = 769$

14 몫 : 8, 나머지 : 13,
　검산 : $85 \times 8 + 13 = 693$

15 몫 : 8, 나머지 : 71,
　검산 : $92 \times 8 + 71 = 807$

16 몫 : 9, 나머지 : 62,
　검산 : $97 \times 9 + 62 = 935$

핵심 2-3

1 몫 : 11, 나머지 : 2,
검산 : $44 \times 11 + 2 = 486$

2 몫 : 11, 나머지 : 23,
검산 : $62 \times 11 + 23 = 705$

3 몫 : 11, 나머지 : 4,
검산 : $87 \times 11 + 4 = 961$

4 몫 : 12, 나머지 : 21,
검산 : $47 \times 12 + 21 = 585$

5 몫 : 12, 나머지 : 46,
검산 : $68 \times 12 + 46 = 862$

6 몫 : 13, 나머지 : 28,
검산 : $51 \times 13 + 28 = 691$

7 몫 : 13, 나머지 : 15,
검산 : $73 \times 13 + 15 = 964$

8 몫 : 14, 나머지 : 47,
검산 : $56 \times 14 + 47 = 831$

9 몫 : 17, 나머지 : 10,
검산 : $21 \times 17 + 10 = 367$

10 몫 : 17, 나머지 : 14,
검산 : $34 \times 17 + 14 = 592$

11 몫 : 18, 나머지 : 8,
검산 : $35 \times 18 + 8 = 638$

12 몫 : 19, 나머지 : 10,
검산 : $14 \times 19 + 10 = 276$

13 몫 : 44, 나머지 : 12,
검산 : $18 \times 44 + 12 = 804$

14 몫 : 45, 나머지 : 2,
검산 : $12 \times 45 + 2 = 542$

15 몫 : 23, 나머지 : 37,
검산 : $39 \times 23 + 37 = 934$

16 몫 : 28, 나머지 : 16,
검산 : $27 \times 28 + 16 = 772$

17 몫 : 29, 나머지 : 13,
검산 : $22 \times 29 + 13 = 651$

18 몫 : 29, 나머지 : 13,
검산 : $25 \times 29 + 13 = 738$

19 몫 : 10, 나머지 : 65,
검산 : $71 \times 10 + 65 = 775$

20 몫 : 30, 나머지 : 12,
검산 : $16 \times 30 + 12 = 492$

단원 마무리평가

1 2, 2
2 8, 8
3 9, 9

4 몫 : 9, 나머지 : 7,
검산 : $40 \times 9 + 7 = 367$

5 몫 : 8, 나머지 : 8,
검산 : $50 \times 8 + 8 = 408$

6 몫 : 9, 나머지 : 9,
검산 : $70 \times 9 + 9 = 639$

7 몫 : 8, 나머지 : 22,
검산 : $90 \times 8 + 22 = 742$

8 몫 : 4, 나머지 : 1,
검산 : $18 \times 4 + 1 = 73$

9 몫 : 2, 나머지 : 16,
검산 : $26 \times 2 + 16 = 68$

10 몫 : 2, 나머지 : 19,
검산 : $37 \times 2 + 19 = 93$

11 몫 : 2, 나머지 : 11,
검산 : $44 \times 2 + 11 = 99$

12 몫 : 4, 나머지 : 23,
　　검산 : 61×4+23=267

13 몫 : 4, 나머지 : 58,
　　검산 : 75×4+58=358

14 몫 : 8, 나머지 : 22,
　　검산 : 84×8+22=694

15 몫 : 9, 나머지 : 70,
　　검산 : 93×9+70=907

16 몫 : 12, 나머지 : 21,
　　검산 : 46×12+21=573

17 몫 : 13, 나머지 : 39,
　　검산 : 59×13+39=806

18 몫 : 22, 나머지 : 10,
　　검산 : 37×22+10=824

19 몫 : 23, 나머지 : 8,
　　검산 : 23×23+8=537

20 몫 : 38, 나머지 : 8,
　　검산 : 18×38+8=692

4 규칙 찾기

핵심 1-1　　　　53~54쪽

1 100　　　　**2** 1000
3 1100　　　　**4** 900
5 2380, 2390, 2460, 2470
　　2590, 2600, 2670, 2680
6 6358, 7358, 2458, 4458
　　3558, 5558, 1658, 2658

7 9860, 9850, 8820, 8810
　　7840, 7830, 6850, 6840
8 5765, 4765, 8665, 7665
　　3565, 2565, 6465, 5465

핵심 1-2　　　　55~56쪽

1 111, 161, 221
2 357, 457, 577
3 880, 830, 770
4 715, 690, 660
5 81, 243　　**6** 48, 96
7 256, 1024　　**8** 176, 352
9 4, 2　　　**10** 30, 15
11 27, 9　　　**12** 5, 1

핵심 2-1　　　　57~58쪽

1 500+600=1100
2 725−525=200
3 700+800=1500
4 850−550=300
5 197+255=452
6 560−525=35
7 738+254=992
8 846−215=631
9 1100+700=1800
10 680−350=330
11 4800+500=5300
12 1600−600=1000

핵심 2-2
59~60쪽

1 $125 \times 20 = 2500$

2 $555 \div 15 = 37$

3 $500 \times 8 = 4000$

4 $585 \div 9 = 65$

5 $480 \times 8 = 3840$

6 $300 \div 12 = 25$

7 $128 \times 5 = 640$

8 $243 \div 27 = 9$

9 $8 \times 100006 = 800048$

10 $444444 \div 28 = 15873$

11 $1111 \times 1111 = 1234321$

12 $777777 \div 111 = 7007$

핵심 3
61~62쪽

1 5, 5, 5
2 12, 12, 12

3 251, 257, 252, 260

4 3, 3, 259, 260

5 예 $666 \div 37 = 18$
$777 \div 37 = 21$
$888 \div 37 = 24$
$999 \div 37 = 27$

6 예 $180 \div 12 = 15$
$360 \div 12 = 30$
$540 \div 12 = 45$
$720 \div 12 = 60$

7 예 $15 \times 10 = 150$
$15 \times 20 = 300$
$15 \times 30 = 450$
$15 \times 40 = 600$

8 예 $12 \times 11 = 132$
$12 \times 22 = 264$
$12 \times 33 = 396$
$12 \times 44 = 528$

9 3, 3, 1, 3, 3, 3, 1

10 5, 5, 1, 5, 5, 5, 1

단원 마무리 평가
63~64쪽

1 1
2 5

3 6
4 4

5 188, 284, 286, 382, 482, 488

6 1800, 2600, 3700, 3800
4500, 4900

7 212, 252, 272, 292

8 975, 965, 950

9 16, 32, 64

10 108, 36, 12, 4

11 $142 + 247 = 389$

12 $5600 - 5400 = 200$

13 $64 \times 5 = 320$

14 $1800 \div 30 = 60$

15 8, 8, 8

16 20, 20, 20, 20

17 133, 127, 139, 129

18 3, 147, 149

5 분수의 덧셈

핵심 1-1 67~68쪽

1 5, 14	**2** 4, 19
3 6, 5, $\dfrac{35}{6}$	**4** 4, 3, $\dfrac{19}{4}$
5 7, 3, 2, $\dfrac{23}{3}$	**6** 4, 7, 4, $\dfrac{32}{7}$
7 $\dfrac{2 \times 8 + 3}{8}$, $\dfrac{19}{8}$	**8** $\dfrac{6 \times 11 + 3}{11}$, $\dfrac{69}{11}$
9 $\dfrac{7}{3}$	**10** $\dfrac{23}{7}$
11 $\dfrac{27}{8}$	**12** $\dfrac{27}{4}$
13 $\dfrac{34}{6}$	**14** $\dfrac{41}{9}$
15 $\dfrac{59}{8}$	**16** $\dfrac{97}{10}$
17 $\dfrac{43}{14}$	**18** $\dfrac{43}{19}$
19 $\dfrac{67}{13}$	**20** $\dfrac{68}{15}$
21 $\dfrac{79}{12}$	**22** $\dfrac{121}{16}$

핵심 1-2 69~70쪽

1 4, 3, 6, 3	**2** 5, 5, 4, 5, 4
3 7, 6, 2, $6\dfrac{2}{7}$	
4 94, 11, 8, 6, $8\dfrac{6}{11}$	
5 $4\dfrac{1}{5}$	**6** $6\dfrac{2}{3}$
7 $7\dfrac{1}{4}$	**8** $5\dfrac{3}{7}$
9 $10\dfrac{1}{6}$	**10** $18\dfrac{3}{4}$

11 $27\dfrac{1}{3}$	**12** $12\dfrac{7}{8}$
13 $12\dfrac{6}{9}$	**14** $20\dfrac{2}{7}$
15 $8\dfrac{1}{12}$	**16** $6\dfrac{6}{13}$
17 $19\dfrac{6}{11}$	**18** $17\dfrac{11}{14}$

핵심 2-1 71~72쪽

1 2, 3	**2** 2, 4
3 5, 2, 7	**4** 3, 1, 4
5 2, 6, $\dfrac{8}{9}$	**6** 2, 7, $\dfrac{9}{10}$
7 $\dfrac{4+3}{11}$, $\dfrac{7}{11}$	**8** $\dfrac{9+6}{18}$, $\dfrac{15}{18}$
9 $\dfrac{2}{3}$	**10** $\dfrac{4}{5}$
11 $\dfrac{4}{7}$	**12** $\dfrac{5}{6}$
13 $\dfrac{8}{9}$	**14** $\dfrac{5}{8}$
15 $\dfrac{9}{12}$	**16** $\dfrac{11}{13}$
17 $\dfrac{12}{15}$	**18** $\dfrac{14}{16}$
19 $\dfrac{13}{14}$	**20** $\dfrac{15}{17}$
21 $\dfrac{12}{13}$	**22** $\dfrac{14}{19}$

핵심 2-2 73~74쪽

1 1, 1, 2, 3, 3, 3, 3

2 3, 2, 2, 2, 5, 4, 5, 4

3 4, 3, $\dfrac{5}{11}$, $\dfrac{3}{11}$, 7, $\dfrac{8}{11}$, $7\dfrac{8}{11}$

4 2, 4, $\frac{7}{16}$, $\frac{6}{16}$, 6, $\frac{13}{16}$, $6\frac{13}{16}$

5 $3\frac{3}{5}$ 　　　　**6** $7\frac{5}{7}$

7 $5\frac{6}{9}$ 　　　　**8** $6\frac{6}{8}$

9 $9\frac{6}{10}$ 　　　**10** $7\frac{11}{12}$

11 $8\frac{11}{14}$ 　　**12** $8\frac{12}{13}$

13 $10\frac{12}{15}$ 　**14** $12\frac{13}{17}$

15 $14\frac{14}{19}$ 　**16** $14\frac{19}{21}$

17 $13\frac{18}{20}$ 　**18** $10\frac{20}{24}$

핵심 3-1
75~76쪽

1 4, 1, 1 　　　**2** 5, 1, 1

3 6, $1\frac{1}{5}$ 　　**4** 8, $1\frac{2}{6}$

5 $\frac{9}{7}$, $1\frac{2}{7}$ 　　**6** $\frac{13}{8}$, $1\frac{5}{8}$

7 $\frac{13}{9}$, $1\frac{4}{9}$ 　　**8** $\frac{16}{11}$, $1\frac{5}{11}$

9 $1\frac{1}{5}$ 　　　**10** $1\frac{2}{7}$

11 $1\frac{5}{8}$ 　　　**12** $1\frac{2}{9}$

13 $1\frac{6}{10}$ 　　**14** $1\frac{3}{12}$

15 $1\frac{5}{13}$ 　　**16** $1\frac{7}{14}$

17 $1\frac{7}{16}$ 　　**18** $1\frac{8}{17}$

19 $1\frac{13}{21}$ 　**20** $1\frac{8}{19}$

21 $1\frac{18}{23}$ 　**22** $1\frac{18}{25}$

핵심 3-2
77~78쪽

1 5, 4, 5, 1, 1, 6, 1

2 6, 7, 6, 1, 2, $7\frac{2}{5}$

3 6, 9, 6, $1\frac{3}{6}$, $7\frac{3}{6}$

4 7, $\frac{13}{9}$, 7, $1\frac{4}{9}$, $8\frac{4}{9}$

5 $4\frac{1}{5}$ 　　　**6** $6\frac{1}{6}$

7 $6\frac{3}{7}$ 　　　**8** $10\frac{4}{9}$

9 $12\frac{2}{8}$ 　　**10** $13\frac{3}{11}$

11 $8\frac{7}{12}$ 　　**12** $14\frac{3}{10}$

13 $15\frac{8}{13}$ 　**14** $13\frac{8}{15}$

15 $16\frac{12}{19}$ 　**16** $12\frac{14}{21}$

17 $16\frac{19}{22}$ 　**18** $19\frac{14}{25}$

단원 마무리 평가
79~80쪽

1 $\frac{4\times8+2}{8}$, $\frac{34}{8}$ 　**2** $\frac{74}{11}$

3 85, 9, 9, 4, $9\frac{4}{9}$

4 $8\frac{11}{12}$ 　　　**5** $\frac{4+2}{7}$, $\frac{6}{7}$

6 $\frac{5+4}{11}$, $\frac{9}{11}$ 　**7** $\frac{7}{9}$

8 $\frac{10}{12}$ 　　　**9** 1, $\frac{2}{8}$, $\frac{5}{8}$, $4\frac{7}{8}$

10 5, 2, $\frac{2}{10}$, $\frac{4}{10}$, $7\frac{6}{10}$

11 $8\frac{5}{6}$ 12 $7\frac{16}{18}$

13 $\frac{11}{7}$, $1\frac{4}{7}$ 14 $\frac{23}{15}$, $1\frac{8}{15}$

15 $1\frac{2}{9}$ 16 $1\frac{4}{18}$

17 6, 9, $1\frac{1}{5}$, $10\frac{1}{5}$

18 8, 20, 8, $1\frac{6}{14}$, $9\frac{6}{14}$

19 $10\frac{4}{8}$ 20 $8\frac{12}{23}$

6 분수의 뺄셈

핵심 1-1   83~84쪽

1 2, 2   2 1, 4

3 8, 3, 5   4 7, 4, 3

5 6, 5, $\frac{1}{11}$ 6 11, 6, $\frac{5}{12}$

7 $\frac{12-8}{15}$, $\frac{4}{15}$ 8 $\frac{18-9}{20}$, $\frac{9}{20}$

9 $\frac{2}{4}$ 10 $\frac{2}{5}$

11 $\frac{2}{7}$ 12 $\frac{1}{8}$

13 $\frac{3}{9}$ 14 $\frac{5}{10}$

15 $\frac{2}{13}$ 16 $\frac{5}{15}$

17 $\frac{2}{14}$ 18 $\frac{9}{17}$

19 $\frac{7}{16}$ 20 $\frac{10}{19}$

21 $\frac{8}{21}$ 22 $\frac{8}{23}$

핵심 1-2   85~86쪽

1 1, 3, 1, 1, 2, 1, 2

2 4, 2, 3, 2, 2, 1, 2, 1

3 7, 4, $\frac{7}{8}$, $\frac{3}{8}$, 3, $\frac{4}{8}$, $3\frac{4}{8}$

4 5, 3, $\frac{11}{12}$, $\frac{9}{12}$, 2, $\frac{2}{12}$, $2\frac{2}{12}$

5 $1\frac{4}{6}$ 6 $3\frac{2}{5}$

7 $2\frac{2}{7}$ 8 $2\frac{6}{9}$

9 $2\frac{2}{10}$ 10 $2\frac{2}{11}$

11 $2\frac{3}{13}$ 12 $4\frac{4}{14}$

13 $5\frac{7}{17}$ 14 $7\frac{9}{18}$

15 $8\frac{7}{21}$ 16 $5\frac{10}{20}$

17 $4\frac{5}{22}$ 18 $5\frac{8}{25}$

핵심 2-1   87~89쪽

1 4, 2   2 3, 2

3 $\frac{7}{7}$, $3\frac{2}{7}$ 4 $\frac{6}{6}$, $2\frac{3}{6}$

5 $4\frac{9}{9}$, $4\frac{2}{9}$ 6 $5\frac{8}{8}$, $5\frac{4}{8}$

7 $8\frac{6}{6}$, $\frac{4}{6}$, $8\frac{2}{6}$ 8 $7\frac{5}{5}$, $\frac{2}{5}$, $7\frac{3}{5}$

9 $1\frac{5}{9}$ 10 $4\frac{2}{7}$

11 $5\frac{5}{8}$ 12 $8\frac{5}{6}$

13 $6\frac{1}{5}$ 14 $7\frac{2}{10}$

15 $9\frac{1}{3}$ 16 $10\frac{2}{9}$

17 $12\frac{1}{4}$ **18** $11\frac{4}{5}$

19 $14\frac{3}{6}$ **20** $13\frac{2}{11}$

21 $18\frac{1}{7}$ **22** $19\frac{1}{12}$

23 $15\frac{1}{10}$ **24** $16\frac{5}{13}$

25 $17\frac{4}{8}$ **26** $20\frac{2}{5}$

27 $22\frac{2}{4}$ **28** $21\frac{1}{6}$

29 $24\frac{3}{9}$ **30** $23\frac{9}{10}$

31 $27\frac{2}{3}$ **32** $25\frac{4}{11}$

33 $26\frac{2}{13}$ **34** $29\frac{4}{12}$

35 $28\frac{2}{7}$ **36** $30\frac{2}{6}$

19 $3\frac{6}{11}$ **20** $2\frac{10}{13}$

21 $3\frac{12}{15}$ **22** $4\frac{11}{14}$

23 $4\frac{7}{12}$ **24** $1\frac{15}{19}$

25 $1\frac{6}{17}$ **26** $1\frac{15}{18}$

27 $6\frac{12}{16}$ **28** $3\frac{16}{19}$

29 $4\frac{9}{18}$ **30** $\frac{11}{17}$

31 $4\frac{17}{21}$ **32** $6\frac{12}{20}$

핵심 2-2
90~92쪽

1 $\frac{4}{3}$, $1\frac{2}{3}$ **2** $4\frac{10}{7}$, $3\frac{4}{7}$

3 $3\frac{11}{9}$, $2\frac{7}{9}$, $1\frac{4}{9}$ **4** $6\frac{16}{11}$, $3\frac{9}{11}$, $3\frac{7}{11}$

5 $2\frac{2}{3}$ **6** $1\frac{3}{5}$

7 $3\frac{4}{5}$ **8** $1\frac{4}{6}$

9 $1\frac{4}{7}$ **10** $3\frac{3}{4}$

11 $3\frac{2}{6}$ **12** $2\frac{6}{7}$

13 $4\frac{5}{8}$ **14** $4\frac{2}{5}$

15 $3\frac{7}{10}$ **16** $1\frac{10}{12}$

17 $2\frac{4}{9}$ **18** $2\frac{10}{16}$

단원 마무리평가
93~94쪽

1 $4-1\frac{1}{5}$, $\frac{3}{5}$ **2** $\frac{4}{8}$

3 $\frac{3}{11}$ **4** $\frac{4}{19}$

5 $2, 5, 1, 5\frac{4}{8}$ **6** $2\frac{5}{10}$

7 $2\frac{5}{14}$ **8** $5\frac{7}{20}$

9 $3\frac{8}{8}$, $\frac{2}{8}$, $3\frac{6}{8}$ **10** $5\frac{11}{11}$, $\frac{9}{11}$, $5\frac{2}{11}$

11 $2\frac{1}{9}$ **12** $6\frac{7}{12}$

13 $9\frac{8}{10}$ **14** $11\frac{8}{11}$

15 $\frac{8}{7}$, $1\frac{6}{7}$, $3\frac{2}{7}$ **16** $\frac{11}{9}$, $4\frac{8}{9}$, $1\frac{3}{9}$

17 $2\frac{4}{6}$ **18** $4\frac{5}{11}$

19 $\frac{9}{15}$ **20** $6\frac{13}{17}$

7 소수의 덧셈

핵심 1-1   97 ~ 98쪽

1 0.05		**2** 0.27	
3 0.42		**4** 0.69	
5 0.85		**6** 0.91	
7 2.53		**8** 7.14	
9 4, 2, 6		**10** 5, 9, 3	
11 3, 1, 2		**12** 6, 7, 5	
13 7, 5, 1		**14** 9, 6, 4	
15 2.53		**16** 4.72	
17 6.24		**18** 5.07	

핵심 1-2   99 ~ 100쪽

1 0.006		**2** 0.019	
3 0.542		**4** 0.376	
5 0.709		**6** 0.981	
7 3.024		**8** 5.789	
9 3, 4, 1, 7		**10** 4, 7, 8, 2	
11 6, 5, 9, 1		**12** 9, 8, 2, 6	
13 1.273		**14** 3.689	
15 7.249		**16** 8.504	

핵심 2-1   101 ~ 102쪽

1 <		**2** >	
3 >		**4** >	
5 <		**6** <	
7 >		**8** <	
9 >		**10** <	

11 <		**12** >	
13 >		**14** <	
15 >		**16** <	
17 <		**18** >	
19 <			

핵심 2-2   103 ~ 104쪽

1 0.08, 0.008	**2** 172.5, 1725
3 $\dfrac{1}{10}$, 10, 10	
4 10, 10, $\dfrac{1}{10}$, $\dfrac{1}{10}$	
5 3.4, 34	**6** 18.7, 187
7 32.57, 325.7	**8** 469.2, 4692
9 24.9, 2.49	**10** 4.65, 0.465
11 13.75, 1.375	**12** 87.62, 8.762

핵심 3-1   105 ~ 106쪽

1 0.7		**2** 0.7	
3 0.8		**4** 0.8	
5 1.2		**6** 1.2	
7 1.3		**8** 1.3	
9 0.6		**10** 0.7	
11 0.7		**12** 0.9	
13 1.2		**14** 1.2	
15 1.4		**16** 1.2	
17 1.1		**18** 1.7	
19 1.6		**20** 1.5	
21 1.3		**22** 1.1	
23 1.2		**24** 1.8	

핵심 3-2
107~108쪽

1 0.59		**2** 0.89
3 0.86		**4** 0.82
5 1.33		**6** 1.22
7 1.16		**8** 1.81
9 0.88		**10** 0.78
11 0.95		**12** 0.79
13 0.85		**14** 0.63
15 0.96		**16** 0.73
17 1.21		**18** 1.21
19 1.11		**20** 1.31
21 1.3		**22** 1.35
23 1.31		**24** 1.1

핵심 4-1
109쪽

1 3.97		**2** 7.62
3 7.32		**4** 10.25
5 7.91		**6** 6.93
7 7.63		**8** 8.7
9 15.43		**10** 12.33

핵심 4-2
110~112쪽

1 8.19		**2** 8.46
3 7.79		**4** 8.62
5 7.161		**6** 6.825
7 6.217		**8** 11.113
9 9.609		**10** 9.212
11 5.182		**12** 7.905
13 8.611		**14** 9.226
15 13.914		**16** 20.463

17 8.389		**18** 20.256
19 9.361		**20** 20.386
21 9.32		**22** 12.63
23 8.31		**24** 10.23
25 7.928		**26** 9.409
27 12.212		**28** 19.117
29 8.909		**30** 7.146
31 16.614		**32** 20.302
33 13.774		**34** 22.431
35 10.023		**36** 20.308

단원 마무리 평가

113~114쪽

1 0.35		**2** 9.617
3 3, 7, 5		**4** 6.847
5 >		**6** <
7 15.7, 157		**8** 40.8, 4.08
9 1.5		**10** 0.6
11 1.1		**12** 1.42
13 0.86		**14** 1.1
15 8.46		**16** 9.21
17 15.24		**18** 9.57
19 10.07		**20** 16.214

8 소수의 뺄셈

핵심 1-1
117~118쪽

1 0.3		**2** 0.4
3 0.3		**4** 0.7

정답

5 0.8　　**6** 0.6
7 0.6　　**8** 0.4
9 0.3　　**10** 0.3
11 0.2　　**12** 0.1
13 0.5　　**14** 0.3
15 0.4　　**16** 0.7
17 0.2　　**18** 0.9
19 0.8　　**20** 0.8
21 0.9　　**22** 0.9
23 0.5　　**24** 0.9

핵심 1-2　　119 ~ 120쪽

1 0.64　　**2** 0.14
3 0.06　　**4** 0.46
5 0.03　　**6** 0.34
7 0.81　　**8** 0.65
9 0.34　　**10** 0.52
11 0.31　　**12** 0.22
13 0.29　　**14** 0.16
15 0.39　　**16** 0.47
17 0.27　　**18** 0.48
19 0.06　　**20** 0.46
21 0.25　　**22** 0.56
23 0.32　　**24** 0.88

핵심 2-1　　121쪽

1 2.15　　**2** 2.43
3 3.18　　**4** 2.69
5 2.16　　**6** 3.36
7 1.86　　**8** 4.89
9 4.59　　**10** 4.57

핵심 2-2　　122 ~ 124쪽

1 2.28　　**2** 1.24
3 4.55　　**4** 1.53
5 4.306　　**6** 3.083
7 4.632　　**8** 2.569
9 3.765　　**10** 3.781
11 2.222　　**12** 3.311
13 3.275　　**14** 6.788
15 2.779　　**16** 2.546
17 2.652　　**18** 2.629
19 4.543　　**20** 3.077
21 5.34　　**22** 2.95
23 1.49　　**24** 1.72
25 3.111　　**26** 3.263
27 1.146　　**28** 2.778
29 3.248　　**30** 4.369
31 3.747　　**32** 3.575
33 3.942　　**34** 3.713
35 4.142　　**36** 3.315

단원 마무리 평가　　125 ~ 126쪽

1 0.4　　**2** 0.8
3 0.6　　**4** 0.8
5 0.8　　**6** 0.34
7 0.15　　**8** 0.09
9 0.37　　**10** 0.66
11 3.16　　**12** 2.76
13 4.07　　**14** 3.34
15 2.05　　**16** 4.731
17 3.24　　**18** 3.658
19 3.384　　**20** 3.539

4학년이 꼭 ✓ 알아야 할

수와 연산

정답과 풀이